Je ne t'aime pas,
Paulus

Agnès Desarthe

Je ne t'aime pas, Paulus

Médium
11, rue de Sèvres, Paris 6ᵉ

Du même auteur à *l'école des loisirs*

Dans la collection MÉDIUM

Je manque d'assurance
Les peurs de Conception
Poète maudit

Dans la collection NEUF

Dur de dur
Tout ce qu'on ne dit pas

© *1991, l'école des loisirs, Paris*
Loi n° 49.956 du 16 juillet 1949 sur les publications
destinées à la jeunesse : septembre 1991
Dépôt légal : juin 2011
Imprimé en France par CPI Firmin Didot
à Mesnil-sur-l'Estrée (105886)
ISBN 978-2-211-06717-1

À ma petite sœur, Elsa

1

L'année dernière a commencé le jour où ma mère m'a dit :

— Je ne te comprends pas.

J'étais assise à mon bureau en train de faire un lexique français-latin-grec en trois couleurs dans un cahier à spirale que Tata Gilda m'avait rapporté d'Italie. Je n'ai pas levé la tête.

— Moi, à ton âge… poursuivit ma mère.

C'est exactement le genre de petite phrase qui me fait bondir d'horreur, que je sois en train de regarder la télé, ou que je sois au téléphone avec Johana. Je crois que même en pleine nuit, au beau milieu d'un rêve dans lequel je me baladerais sur une plage avec le supermaillot que j'ai vu dans le catalogue de la Redoute, je sursauterais si j'entendais, dans mon sommeil, à travers la porte fermée et du bout du couloir, la voix de ma mère murmurer la fatale expression: «quand j'avais ton âge».

Je me suis fait piéger comme une débutante. J'ai lâché mon feutre vert et j'ai tapé du poing sur la table en rejetant la tête en arrière. J'ai regardé ma mère dans les yeux, en essayant de la persuader de sa propre mesquinerie, mais ça n'a pas marché. Ma mère est très forte. Elle m'a fait ses doux yeux de biche qui brâme au clair de lune et a repris depuis le début.

– C'est vrai, je ne te comprends vraiment pas. Moi, à ton âge, j'étais.. je ne sais pas... romantique. J'écrivais des poèmes, je faisais des cachotteries, je tenais un journal... enfin, bref! Tu as tout de même quatorze ans et on ne te voit jamais avec un garçon. Toutes tes autres amies se font raccompagner par leur copain après le lycée. C'est Mme Toquet qui me l'a dit...

– C'est pas de ma faute si Coralie Toquet est une pute.

– Non mais, vous entendez ça ! Comme tu es vulgaire ! Il y a une grande différence entre être amoureuse et être une... Enfin! Je ne te comprends vraiment pas.

Ma mère s'était mise à faire les cent pas tout en parlant et je sentais la tension monter. Il n'en faudrait pas beaucoup plus pour qu'elle se mette à pleurer en disant: «Mais qu'est-ce que j'ai fait au bon Dieu!» Je décidai donc de couper court à l'hystérie et de la rassurer en bonne petite fille que j'étais.

Je me levai de ma chaise, je lui pris les mains, je la regardai droit dans les yeux et je lui dis, sur un ton de ministre des finances:

— Maman, ne te fais aucun souci, je ne suis pas une gouine.

J'ai dû me tromper de réplique, parce qu'à ces mots, elle a reculé en écarquillant les yeux, s'est cogné le mollet contre le bois de mon lit, s'est effondrée sur le matelas et s'est écriée en pleurant:

— Mais qu'est-ce que j'ai fait au bon Dieu?!

Dans ces cas-là, il n'y a plus rien à faire. Je me suis rassise sur ma chaise et j'ai repris mon lexique là où je l'avais laissé. C'est pas facile de travailler quand juste à côté de vous, sur votre lit, il y a votre mère qui pleure. Même si vous savez qu'elle fait ça exprès pour vous embêter et que c'est elle qui a commencé, alors que vous étiez bien tranquille en train de faire un lexique français-latin-grec en trois couleurs.

Heureusement, ou malheureusement, mon père est rentré du travail environ une minute vingt après le début de la crise. En entendant ma mère, il s'est précipité – à sa manière, parce que vu qu'il pèse cent cinquante kilos, il ne peut pas beaucoup se précipiter.

– Qu'est-ce qui se passe ici ? a-t-il demandé de sa voix éraillée.

– C'est ta fille ! a répondu ma mère dans un long vagissement.

– Ma fille ! Ma fille ! Je te signale que c'est aussi la tienne.

Ça m'a fait rire d'entendre mon père rappeler à ma mère les grandes lois de la procréation. Je m'imaginai une autre suite à la conversation, comme par exemple ma mère disant d'un air ingénu :

– Comment ça, c'est aussi la mienne ?

– Tu sais très bien, ma chérie, aurait répondu mon père. Quand papa a mis la petite graine dans le ventre de maman… etc.

J'étais la seule à avoir envie de rire à ce moment-là, parce que papa et maman, eux, étaient repartis pour la quatre cent millième fois dans l'une de leurs légendaires, bien que quotidiennes disputes.

— C'est toujours comme ça avec toi! hurlait ma mère.

Et mon père n'avait pas tort à ce moment-là de hausser le ton, parce que prononcer le mot «toujours» dans une dispute fait preuve d'un manque de fair-play évident.

J'aimerais comprendre un jour pourquoi les parents se disputent. Parce qu'il n'y a pas que les miens. Tous les parents c'est pareil. J'ai fait un sondage en classe. Quand on regarde les albums avec les photos en noir et blanc, ils sont tout mignons, tout gentils, et des fois on retrouve une vieille lettre d'amour entre les pages collées. Qu'est-ce qui fait que dix ans, douze ans, quinze ans plus tard ils ne peuvent plus se voir en peinture? Est-ce que c'est parce qu'ils se choisissent mal au départ? Est-ce que c'est parce qu'ils se lassent à force de se voir tous les jours? Est-ce à cause des enfants? C'est vrai que mes parents s'engueulent presque toujours à cause de moi. Je ne sais pas. Johana m'a dit qu'elle avait lu dans un magazine chez le dentiste que c'était à cause de l'usure sexuelle, mais je ne vois pas le rapport.

Quand ils se sont mis à gueuler trop fort, je les ai sortis de ma chambre et je me suis remise au boulot. Je n'ai pas pleuré. Avant, quand ils s'engueulaient comme ça, je pleurais toujours, même si je les trouvais débiles, même si je me disais que je m'en fichais. C'est aussi pour ça que je dis que l'année dernière a vraiment commencé ce jour-là. C'était le 19 décembre. Je sais que c'est une drôle de date pour commencer une année, mais c'est comme ça. A partir de ce jour, plus rien n'a été comme avant.

Dans deux jours ce serait l'hiver. Je n'en revenais pas, parce que j'avais l'impression que ça faisait déjà deux mois que ça avait commencé, cette affaire-là, avec la pluie, le vent, la grêle et les rhumes. J'avais tout le temps froid aux pieds. Pour se faire pardonner la crise de la veille, ma mère m'a acheté des bottes avec des semelles pourries en élasto-crêpe de plouc.

— Elles sont très bien pour courir, a dit ma mère.

Est-ce que j'ai une tête à courir, ai-je pensé sans ouvrir la bouche.

— C'est très à la mode ce genre de chaussures, tu sais? a-t-elle dit sur un ton d'animatrice télé.

Moi je les trouvais moches. Elles montaient à peine au-dessus de la cheville, alors que moi j'avais envie de bottes de cheval jusqu'aux genoux, avec des semelles en cuir qui font un bruit comme dans les films. C'était pourtant vrai qu'elles étaient très à la mode. Tout ce qu'achète ma mère est très à la mode. C'est normal, parce que, avant, elle était mannequin. C'était il y a longtemps, quand elle ne connaissait pas encore mon père. J'ai vu des photos. Elle était très belle. Elle est toujours très belle. Toutes mes copines sont jalouses.

Elles me disent:

— Ça doit être génial d'avoir une mère aussi belle.

Et moi je leur dis:

— Je ne vois pas à quoi ça me sert qu'elle soit belle. Elle pourrait avoir une tête d'iguanodon que je m'en ficherais pas mal.

Je ne leur dis pas vraiment ça en fait, à mes

copines. Je leur dis : «Oui, c'est vrai, c'est pas mal.» D'un air désabusé.

Je n'avais pas envie de mettre mes nouvelles bottes pour aller au bahut, mais je savais que si je ne les mettais pas, ma mère ferait un scandale. Malheureusement, c'est souvent à tort que l'on croit pouvoir éviter un scandale, surtout à la maison. Quand je me suis présentée le jour d'après à l'heure du petit déjeuner avec mes chaussures flambant neuves aux pieds, je ne me doutais pas qu'un détail avait échappé à ma vigilance.

— Qu'est-ce que c'est que cette jupe ? a dit ma mère quand elle m'a vue entrer.

— C'est ma jupe rose ! ai-je dit en haussant les épaules.

— Mais enfin, Julia, c'est une jupe d'été. On est le 20 décembre. Tu ne peux pas sortir comme ça.

— Mais j'ai mis des collants en laine en dessous. J'ai pas froid.

— Ce n'est pas une question de température, ma petite fille, c'est juste qu'on ne met pas une jupe d'été rose pâle en plein hiver. Ce n'est pas joli.

– Papa, ai-je dit en le regardant avec des yeux de chien battu, tu trouves ça moche, toi?

A ma grande surprise, mon père a dit :

– Fais ce que dit ta mère.

Si je m'attendais! Moi je croyais qu'il m'aurait dit qu'il trouvait ça très bien, que ma mère se serait énervée, qu'ils se seraient disputés et que j'aurais pu partir au lycée avec ma jupe rose en les laissant à leur prise de bec. D'habitude je pouvais toujours compter sur mon père pour réagir au quart de tour à la question: miroir, mon beau miroir, dis-moi qui est la plus belle, la plus gentille, la meilleure? Moi-même, quand j'étais plus petite, j'étais complètement amoureuse de lui. A présent ça m'avait passé, mais je n'aurais jamais imaginé que lui aussi, un beau jour, cesserait de me vouer un amour aussi aveugle que sincère.

Sa réponse laconique surprit ma mère autant que moi et un silence stupéfait se mit à planer au-dessus de la table en formica.

– Bon, ben, à ce soir, ai-je dit au bout d'un moment.

Personne n'a répondu. Je suis partie sur la pointe des pieds en fermant tout doucement la porte derrière moi, de peur de déranger mes parents dans ce qui ressemblait soudain à une séance d'introspection mélancolique.

J'arrivai comme d'habitude vingt minutes en avance au lycée. Je ne fais pas exprès d'être toujours en avance : c'est comme si le temps ne correspondait pas à l'idée que je me fais de lui. J'ai beau réitérer l'expérience chaque matin et savoir que je mets dix minutes pour m'habiller, cinq pour faire ma toilette et un quart d'heure pour aller jusqu'au lycée – je ne prends jamais de petit déjeuner les jours d'école – ce qui fait en tout une demi-heure, je me lève quand même une heure avant le début des cours. Ma mère dit que c'est parce que je suis angoissée. Moi je ne dis rien, parce que je n'ai pas la moindre idée sur la question.

Les autres jours, à l'heure où j'arrive, il n'y a encore personne de ma classe. Alors je vais m'asseoir dans la salle de cours et je pense à des trucs en attendant que les autres arrivent. Ce jour-là, Johana m'attendait, assise sur les marches de l'escalier A.

– Salut, qu'est-ce que tu fais là ?

— J'ai à te parler, m'a dit Johana avec sa tête de Mata Hari.

— C'est grave ? lui ai-je demandé un peu inquiète… (Johana arrive presque tous les jours en retard.)

— Non, mais c'est important.

Je me suis assise à côté d'elle sur l'escalier, je lui ai fait deux bisous et je lui ai dit·

— Bon, vas-y, vide ton sac !

— Eh ben voilà, y a Martin qui m'a dit que Paulus est amoureux de toi.

— Paulus ? l'hommus le plus beau-us du mondus ?

— Ouais.

— Ça m'étonnerait.

— Ben puisque Martin me l'a dit !

— Et comment il sait ça, Martin ?

— Parce que c'est Paulus qui lui a dit.

— Alors vraiment ça m'étonnerait.

— T'es nulle ! Moi, à ta place, je serais hyper-contente !

— Primo : tu n'es pas à ma place. Deuxio : Paulus ne peut pas être amoureux de moi parce que j'ai des lunettes, que j'ai des taches de rousseur, que j'ai la peau blanche comme de la craie et que je m'habille comme une clodo.

— C'est pas vrai du tout. Et en plus, t'es hypra-intelligente, t'es la meilleure de la classe et même de tout le lycée !

— Non mais, tu te rends compte de ce que tu dis ? On se croirait dans *Dallas* ! C'est comme si tu me disais qu'il m'aime pour mon argent.

— Je vois pas le rapport.

— L'ennui avec toi, Johana, c'est que tu es con.

— Tout le monde ne peut pas être une bête en latin, en math, en grec et connaître le Larousse par cœur.

— Oh, on va pas se disputer pour ça. Moi je suis moche et toi, t'es con. Tout va très bien. C'est équilibré. C'est normal.

— T'es vraiment une chienne de dire ça.

— Moi, une chienne ? C'est toi qui es dégueulasse. Au lieu de me dire que je suis bonne en classe, t'aurais pu me dire que j'étais pas si moche que ça.

— Oh, tu m'énerves. Je sais pas ce que t'as ce matin. Tu t'es levée du pied gauche, ou quoi ?

— Mais c'est tes histoires qui me foutent les boules. Paulus a dû raconter des bobards à Martin et nous deux on est en train de se disputer à cause de leurs conneries.

— Tu veux une cigarette?

— Oui, je veux bien.

— Je croyais que tu fumais pas!

— Ben alors, pourquoi tu me demandes?

— C'est machinal.

— Alors, si c'est machinal, tu peux te la garder. Je trouve que ça pue.

Johana alluma sa cigarette tandis que les gens de la classe commençaient à arriver.

Quand je vis Paulus passer la porte du hall, je me levai et montai l'escalier vers la salle de cours. Même si je ne croyais pas un mot du roman-photo de Johana, je n'avais pas envie de me retrouver nez à nez avec lui.

C'était vrai qu'il était beau, Paulus. Et en plus, il s'appelait Paulus, Paulus Stern, et je trouvais que c'était un nom vraiment extraordinaire. Toutes les filles du lycée, même les terminales, étaient amoureuses de lui. Moi, en fait, je m'en fichais pas mal, pas seulement parce que je n'y croyais pas, mais aussi parce que je me disais que si c'était pour finir dans quinze ans par s'envoyer des vacheries en travers de la tronche, ça ne valait pas le coup. Et puis, ma mère avait raison, je n'étais pas très sentimentale. Je n'avais jamais été amoureuse de ma vie. Sauf de Karim Djélouli. Mais c'était à la maternelle et je n'avais que quatre ans. Je m'en souvenais très bien. Je l'avais tout de suite aimé, dès que j'étais arrivée à l'école. Lui, c'était vraiment un type bien. Il était intelligent et il parlait d'une voix très douce. Il m'avait embrassée sur le front le jour où il m'avait expliqué comment on fait les enfants, dans les cabinets des filles. Maintenant je me rends compte qu'on aurait pu faire un tas de trucs cochons, mais c'était pas son genre. Il m'avait dit: «On se retrouvera, Julia, et on fera des enfants ensemble.» L'année d'après il est parti à la grande école et tous les soirs, je l'attendais à la sortie de la maternelle. Je me disais qu'il viendrait me chercher pour faire des enfants. Mais je ne l'ai jamais revu. Même en C. P. j'ai continué de le chercher des yeux à la sortie. Il avait dû quitter le quartier. Maintenant, je ne l'attends plus vraiment. Quand l'année dernière Johana m'a dit que Paulus m'aimait, ça ne m'a rien fait, parce que moi j'ai su que je ne l'aimais pas. Je pensais que l'amour c'est tout de suite ou jamais.

En cours, Johana ne s'est pas assise à côté de moi parce qu'elle était fâchée. Je me suis retrouvée à côté de Coralie Toquet, la pute.

C'était un cours d'anglais et Mme Marcel s'ingéniait à nous expliquer la différence entre *since* et *for*. Alors que j'étais en train de répondre brillamment à la question : *How long have you been studying English ?* j'ai reçu une boulette de papier dans ma trousse. Mme Marcel m'a félicitée, le dernier rang, dans son ensemble m'a haïe, et tout en savourant mon succès et en déplorant les sentiments qu'il inspirait aux autres, j'ai tiré la petite boule d'entre deux crayons et je l'ai dépliée aussi discrètement que possible, sur mes genoux, à l'abri de ma table :

> *Paulus n'arrête pas de te regarder.*
> Signé : *Johana*

Vous savez comment c'est avec les petits mots

23

en classe; on commence par deux lignes et on passe l'heure entière à échanger des morceaux de papier de plus en plus grands, écrits de plus en plus serré. Johana me soutenait que Paulus ne me quittait pas des yeux, et je lui affirmais le contraire. Quand je me retournais pour vérifier s'il avait oui ou non ses phares braqués sur moi, je le trouvais invariablement la tête plongée dans ses feuilles. Johana eut beau m'expliquer que dès que je bougeais la tête, il cessait de me regarder, je lui dis de me laisser tranquille avec cette histoire. Nous changeâmes donc de sujet et passâmes le reste de l'heure à échanger une correspondance fournie, toujours par boulettes interposées et grâce aux services postaux très dévoués des deux rangées qui nous séparaient.

Pendant le cours qui suivit je ne consentis à aucun échange épistolaire. On avait math, ma matière préférée, avec Mme Lavis, ma prof préférée.

Alors que j'étais au tableau en train de résoudre une équation à deux inconnues, Mme Lavis demanda si quelqu'un voulait bien aller mouiller l'éponge. J'entendis la voix de Martin dire:

— Moi, M'dame, j'y vais.

— Vous ne croyez pas que vous feriez mieux de suivre cet exercice jusqu'au bout, M. Leblanc? dit Mme Lavis.

— Si, mais, en même temps, si je vais mouiller l'éponge, je pourrai en profiter pour…

La classe étouffa un rire qui était devenu quasi rituel dès que Martin levait la main, parce que c'était un pisseur professionnel.

— Bon, dit Mme Lavis, allez-y mon garçon. Le corps a ses raisons, comme on dit…

Martin se leva, grimpa sur l'estrade, prit l'éponge sur le bureau de la prof et, juste avant de se diriger vers la porte, me glissa un papier dans la main. Je bâclai la fin de mon équation et Mme Lavis me dit :

— C'est pas très orthodoxe, mais c'est malin. Vous pouvez retourner à votre place, Julia. Je vais reprendre pour vos camarades.

Une fois de plus je sentis le souffle de haine venu du dernier rang balayer mes oreilles.

De retour à ma place, je dépliai le petit papier que Martin avait glissé dans ma main. Martin Leblanc avait une autre caractéristique, outre celle d'être un pisseur professionnel, il avait une écriture illisible, à mi-chemin entre la chiure de mouche et l'idéogramme chinois. Quand il revint à sa table, je me tournai vers lui, les yeux écarquillés, avec l'air de dire: «Désolée, mais je n'y comprends rien.» Martin se mit alors en tête de me faire lire son message sur ses lèvres. Il commença à articuler péniblement, et je reconnus le premier mot: RENDEZ-VOUS. J'étais en train de m'acharner à déchiffrer les suivants, lorsque je remarquai, du coin de l'œil, que Paulus, assis deux places plus loin, me dévisageait. Je sentis une boule monter dans ma gorge et quelque chose se mit à trembler en moi.

– Il y a quelque chose que vous ne comprenez pas, Leblanc, coupa Mme Lavis, qui avait surpris notre conversation muette, ou c'est encore un de vos malaises métaphysiques?

– Non, non, tout va très bien, m'dame. Je voulais juste dire à Julia que je lui donnais rendez-vous avant la cantine, devant la salle des profs.

Mme Lavis se retint de rire.

– D'autres communications dans la salle, avant que je reprenne mon cours? dit-elle.

Tout le monde rit. Quant à moi, je me mis à

chercher le moyen de creuser du bout de ma botte en élasto-crêpe un trou assez profond dans le sol pour m'y enfoncer et ne plus jamais réapparaître.

A midi vingt, je retrouvai Martin devant la salle des profs.

— T'es complètement dingue ou quoi? Lavis va croire qu'on sort ensemble.

— Et alors? T'as peur qu'elle pense que sa chouchoute se tape le plus nul de la classe?

— Ça n'a rien à voir. Qu'est-ce que tu veux, d'abord?

— Je veux te transmettre un message.

— Ah ouais? Un message de qui, s'il te plaît?

— De Stern.

— Il peut pas faire ses commissions tout seul, celui-là?

— Non. Il est timide. Il t'aime. Il a écrit un poème pour toi qui dit un truc comme… ma vie s'empoisonne pour tes yeux…

— Et ma vie pour tes yeux lentement s'empoisonne?

— Ouais, c'est ça, exactement. Comment tu sais?

– Et ce salaud, il t'a dit que c'était lui qui l'avait écrit! C'est «Les Colchiques» d'Apollinaire! C'est vraiment nul de faire croire qu'on écrit des trucs qu'on n'est même pas cap de penser, même en rêve.

– Mais t'énerve pas comme ça. J'ai dû me gourer. J'en sais rien, moi, si c'est lui qui l'a écrit. Je sais juste que l'autre jour, il m'a dit que tu lui faisais penser à ça et il m'a récité un poème.

– C'est nul de mentir. C'est pas la peine d'essayer de te rattraper. Tu peux aller lui dire, à ton copain, que je me fous pas mal de lui et de ses poèmes.

– T'es pas sympa.

– Non. Je ne suis pas sympa. Et je suis moche aussi, et conne, et nulle. Alors je vois pas pourquoi l'autre il vient me faire le coup de l'amoureux transi. Toutes les filles sont amoureuses de lui dans ce foutu bahut. Il a qu'à se servir.

Martin n'a rien répondu. Il a haussé les épaules et il a fait un signe de la main qui signifiait: «Elle est folle celle-là.»

A la cantine, je me suis asssise entre Coralie-la-pute et Nadine-le-bon-sens-près-de-chez-vous, pour me punir et pour qu'on me laisse tranquille. Nadine, je l'appelle comme ça parce que tout ce qu'elle dit émane directement du fin fond de la sagesse populaire. Par exemple, ce jour-là il y avait des carottes et ça n'a pas raté, en me servant elle n'a pas pu s'empêcher de dire :

— Tiens, ça rend les joues roses.

Et puis, à la fin du repas, alors que j'avais réussi à éviter toute conversation avec elle, elle me demanda :

— Tu sais pourquoi Mme Gobelin est toujours en noir ?

— Non, dis-je à regret, en me haïssant d'avoir succombé à la curiosité.

— C'est parce qu'elle a perdu son mari. Ça fait au moins dix ans, et moi je dis à quoi ça sert de s'habiller en noir, ça le fera pas revenir.

— Oui, tu as raison, Nadine, ai-je dit sans oser la regarder. Ça ne le fera pas revenir.

L'après-midi on n'avait pas cours et dès que je suis rentrée à la maison, j'ai ouvert *Alcools* d'Apollinaire à la page 33. J'ai relu «Les Colchiques» vingt fois et peut-être cinquante fois la fin de la première strophe :

Le colchique couleur de cerne et de lilas
Y fleurit tes yeux sont comme cette fleur-là
Violâtres comme leur cerne et comme cet automne
Et ma vie pour tes yeux lentement s'empoisonne

Je me dis que si Paulus Stern avait vraiment écrit ce poème, je serais tombée amoureuse de lui.

J'avais le livre fermé sur les genoux lorsque ma mère entra dans ma chambre. En un clin d'œil, elle me perça à jour.

— Tiens, ma fille lit de la poésie ? dit-elle en me regardant d'un air affreusement complice.

— C'est pour le cours de français. On doit apprendre un poème par cœur.

— On apprend encore des poèmes par cœur en troisième ? dit-elle, en me faisant bien comprendre qu'elle ne croyait pas un mot de ce que je disais.

— C'est une punition.

— Et quel poème as-tu choisi ? enchaîna-t-elle d'une voix de plus en plus mielleuse.

— J'ai pas choisi justement.

— Tu devrais apprendre «Les Colchiques». C'est un des plus beaux poèmes d'Apollinaire.

Pourquoi est-ce qu'il fallait toujours qu'elle gâche tout? Je savais maintenant que je ne pourrais plus jamais lire ce poème parce qu'elle m'avait avoué que c'était son préféré. Pourquoi voulait-elle toujours entrer dans mes secrets? Je la regardai et je lui dis du ton le plus froid que je pus trouver:

— Je n'aime pas «Les Colchiques». Je préfère «Le Poulpe». Tu veux que je te le lise?

— Oui, ma chérie.

Le poulpe
Jetant son encre vers les cieux,
Suçant le sang de ce qu'il aime
Et le trouvant délicieux,
Ce monstre inhumain, c'est moi-même.

Je vis le visage de ma mère se décomposer lentement.

— Je ne sais pas si tu commences ta crise d'adolescence, me dit-elle, mais tu deviens réellement insupportable.

— Je fais ma crise de rien du tout. C'est toi qui fais ta crise. Je ne vois pas ce que tu as à me reprocher!

— Je te reproche d'avoir le cœur sec et d'être indifférente à ce qui t'entoure. Tu te fiches de tout. Tu es égoïste. Tu n'éprouves pas la moindre émotion…

— Et à l'enterrement de Tata Gilda, dis-je en me mettant à sangloter, j'ai pas éprouvé la moindre émotion peut-être? J'ai pas pleuré peut-être? Moi je l'aimais, Tata Gilda. Plus que toi et plus que papa et plus que tout le monde.

Je me suis levée et je suis sortie en claquant la porte.

Alors que j'étais enfermée dans la salle de bain et que j'essayais de me calmer en frottant des chaussettes que ma mère avait mises à tremper dans le lavabo, j'entendis la voix de Judith à travers la porte. Je l'avais oubliée celle-là. Je l'oublie souvent. Ma mère dit que c'est parce que j'ai été très jalouse quand elle est née.

— Tu veux pas venir jouer à la marchande avec moi? me dit Judith.

Avant Judith zozotait, maintenant qu'elle va voir une orthophoniste, elle chuinte.

— Non mais, tu sais quel âge j'ai, lui ai-je répondu sans ouvrir la porte.

— Oui. Mais juste cinq minutes. Ou alors on peut jouer à « Qu'est-ce qu'on mange ? »

« Qu'est-ce qu'on mange ? » était notre jeu préféré. On l'avait inventé avec Judith dès qu'elle avait su parler. C'était un jeu très simple. Chacune à son tour demandait à l'autre :

— Bon, qu'est-ce qu'on mange ?

Et l'autre répondait ce qu'elle voulait. Ça pouvait durer des heures. Ça a l'air ennuyeux quand on le raconte, mais quand on le fait, c'est différent. Et même quand on a quatorze ans et qu'on se sent très mûre pour son âge, on ne peut pas résister à « Qu'est-ce qu'on mange ? »

— Bon, d'accord, ai-je dit. Mais alors cinq minutes, pas plus.

J'ai ouvert la porte et Judith m'a gratifiée d'un sourire plein de trous ; elle perdait dix dents par semaine à cette époque. Elle s'est assise par terre et je l'ai vue frissonner au contact froid du carrelage.

— Assieds-toi sur le tapis de bain, lui dis-je.
Tu vas te geler le cul.

— Maman elle dit que le tapis de bain il faut
pas s'asseoir dessus, parce qu'il est sale, parce que
c'est pour les pieds.

— Alors toi tu crois tout ce que dit ta mère?

C'était vraiment déloyal de ma part de poser
cette question à Judith, mais elle avait le don de
me provoquer, avec sa gueule d'ange né dans une
rose garantie élevée au grain.

— Oui. Maman elle dit que la vérité.

Je n'ai pas voulu lui ôter d'un coup toutes ses
illusions.

— Bon, qu'est-ce qu'on mange? ai-je demandé, histoire de changer de sujet.

— On mange des saucisses, des petites saucisses d'apéritif, et de la crème chantilly.

— Mais tu dis toujours la même chose. Tu ne
peux pas trouver quelque chose de plus original?

— Non! a répondu Judith, très sûre d'elle,
avant d'enchaîner, bon, qu'est-ce qu'on mange?

— On mange… on mange… Oh, c'est nul.
J'ai pas faim. Mais alors, pas faim du tout. Je crois
même que j'ai envie de vomir.

Judith a commencé à faire semblant de pleurer.

— C'est même pas vrai, a-t-elle dit d'une voix au chevrotement savamment dosé. Tu dis ça rien que pour m'embêter.

— Non, je te jure que c'est vrai, ai-je dit.

Et je ne mentais pas.

J'ai juste eu le temps de sortir les chaussettes du lavabo et de les jeter dans la baignoire, avant de rendre mes quinze derniers repas d'un seul coup.

Judith s'est mise à pleurer pour de bon et a hurlé :

— Maman, maman, y a Julia qui vomit dans le lavabo.

Ma mère est arrivée en courant.

— Tu aurais pu aller aux toilettes, a-t-elle dit, en bonne obsédée de l'hygiène.

J'ai levé la tête et, exprès pour l'énerver, je me suis essuyé la bouche avec ma main et puis j'ai essuyé ma main sur mon pull.

— Mais maman, j'ai pas fait exprès. C'était une urgence.

Ma mère s'est approchée de moi et m'a dit dans un murmure exhalé à travers ses dents serrées à double tour :

— Tu n'es pas enceinte au moins?

— Maman, comment veux-tu que je sois enceinte? J'ai même jamais embrassé un garçon sur la bouche.

Ma mère m'a giflée.

— Tu ne dis pas ces mots tout fort devant ta petite sœur. Tu m'entends?!

Elle n'avait toujours pas desserré les dents. J'ai fait couler le robinet pour nettoyer le lavabo. Je me suis lavé les mains et la figure et je suis sortie de la salle de bain sans dire un mot et sans regarder personne.

J'étais dans mon lit à attendre, en vain, que ma mère me prépare un citron chaud, parce que tu comprends, ma chérie, il faut que je fasse goûter Judith et que je classe les papiers avant que papa rentre et patati et patata... quand le téléphone a sonné.

Jusque-là, rien d'extraordinaire. Ma mère m'a crié à travers l'appartement :

— Julia, c'est pour toi!

Toujours rien d'extraordinaire. Je suis sortie de mon lit pour aller décrocher le téléphone dans le salon.

— Allô, c'est Johana.

Vraiment rien de spécial, Johana m'appelle tous les jours.

— Salut Johana, ça va?

— Ouais, et toi?

— Bof, j'ai dégueulé dix litres de couscous merguez de la cantine.

— Attends, quitte pas.

Johana fait souvent ça. Elle m'appelle, et au bout de deux secondes de conversation elle me dit de ne pas quitter pour s'allumer une clope. Je n'arrive pas à comprendre pourquoi elle n'allume pas sa foutue cigarette avant de m'appeler. Je lui ai demandé une fois et elle m'a dit: «C'est pas cool!» Mais c'était pendant sa mauvaise période. Alors je ne crois pas que ce soit la vraie réponse.

— Allô? a repris une voix qui n'était plus celle de Johana.

— Allô, qui c'est? C'est Bertrand?

Je ne sais pas pourquoi, j'étais sûre que c'était Bertrand, le grand frère de Johana qui est camionneur et qui est super sympa. Alors j'ai commencé à lui raconter mes histoires de vomi et de ma mère qui croyait que j'étais enceinte, parce que je savais que c'était le genre d'histoire qui le faisait marrer. Mais il n'a pas ri du tout. Alors au bout d'un moment, je me suis demandé ce qui n'allait pas.

— Bertrand, allô? Bertrand? ai-je dit soudain, un peu paniquée.

J'ai entendu un raclement de gorge.

— Julia? a dit la voix. C'est Paulus Stern.

Je n'ai pas réussi à articuler le moindre mot. J'ai senti ma gorge se serrer, mon ventre se soulever, et j'ai à nouveau eu envie de vomir. J'ai raccroché et je me suis précipitée aux toilettes.

Je n'avais plus rien à cracher, alors j'ai pleuré parce que j'avais au moins quinze bonnes raisons de pleurer:

La honte, ma mère, le tapis de bain, les saucisses d'apéritif, mon père.

Et puis les grands classiques:

Je suis moche, je n'ai jamais embrassé personne, toute ma classe me déteste, et puis des tas d'autres choses encore, des choses qui creusaient un grand trou dans ma tête. Un trou noir, bien sûr, parce que dans ces situations, on n'arrive pas à imaginer une autre couleur que le noir.

2

Pour la huitième fois depuis que je m'étais couchée, je regardai mon réveil. Il était deux heures quarante-cinq. La dernière fois que j'avais regardé il était deux heures quarante-deux. Le temps commençait à passer à pas de fourmi, parce que plus ça allait, plus je perdais espoir de trouver une réponse à la question :

Comment faire pour retourner en classe demain, après ce qui s'est passé ?

Certains soirs, quand je n'avais aucun mal à m'endormir, je me disais que ce serait vraiment bien de passer une nuit totalement blanche. Je me voyais à trois heures du mat, seule dans la maison endormie, allant me faire un sandwich au fromage dans la cuisine et le dégustant dans le salon, face à une cassette vidéo de *A l'Est d'Eden* sans le son. Je m'imaginais un peu plus tard, vers quatre heures trente, dans une baignoire remplie d'une triple dose du bain moussant de maman, qu'on n'a pas le droit d'utiliser parce que c'est vraiment du gâchis à notre âge.

Mais la nuit que j'étais en train de passer n'avait rien à voir avec tout ça. D'abord parce que je n'avais pas choisi de ne pas dormir, et puis ensuite parce que la vie en général n'a rien à voir avec les rêves éveillés qu'on fait juste avant de s'endormir quand on est de bonne humeur.

Dans la vie réelle, quand on va dans la cuisine pour se faire un sandwich au fromage sur le coup de trois heures du mat, on rencontre son père en train de se faire cuire une boîte de cassoulet en Suisse. On a honte de lui et de ses cent cinquante kilos. On se demande comment maman a fait pour l'épouser. Quand il était jeune, il n'était pas obèse, mais déjà pas très beau et un peu gras-souillet, alors que maman posait pour *Jours de France* et le catalogue de la Redoute.

Dans la vie réelle, quand on regarde une cassette vidéo de *A l'Est d'Eden* dans le salon, il y a maman qui débarque parce que tu comprends, avec ma migraine, je n'arrive pas à fermer l'œil.

40

Elle s'assoit à côté de vous sur le canapé et vous fait son coup favori: le vieux coup des «Colchiques» d'Apollinaire. Elle vous ébouriffe les cheveux — vous avez déjà envie de vomir rien qu'à sentir l'odeur de la foutue crème qu'elle se met sur les mains — et elle vous dit:

— Moi aussi, ma chérie, j'adore ce film. La première fois que je l'ai vu, j'ai pleuré comme une Madeleine.

Enfin, dans la vie en général, Judith, qui a oublié de faire pipi avant d'aller au lit, arrive dans la salle de bain juste au moment où vous versez la troisième dose de bain moussant dans la baignoire et dit: «T'as touché le bain moussant de maman!» avec de gros yeux ronds de poisson japonais, comme si le bain moussant de maman était le frère cadet du sacré Graal.

A ce moment-là, vous n'avez aucune autre solution que de négocier son silence en lui promettant de jouer avec elle à la marchande tous les soirs pendant une semaine.

De toute façon, ce n'était même pas la peine de penser à ça, parce que, dans la vie réelle, j'étais désespérée au fond de mon lit, sans la force de

bouger le plus petit de mes doigts de pied, fascinée par les cristaux liquides de mon réveil à
quartz et paralysée par la hantise de la confrontation avec Paulus, qui devait avoir lieu dans un
peu plus de six heures.

Première solution : je pouvais faire croire à
mes parents que j'étais malade et rester au lit toute la journée. Comme j'avais passé l'après-midi
de la veille à vomir, ils ne seraient pas surpris.
L'ennui, c'est que ça ne faisait que repousser le
problème de un ou deux jours et surtout, l'ennui
– le vrai – c'est qu'on avait une interro de math
de neuf à onze et qu'il était hors de question que
je rate une interro de math.

Deuxième solution : dès que j'arrivais au lycée, j'allais voir Paulus et je lui disais : «Excuse-
moi pour hier. Je t'ai pris pour quelqu'un
d'autre. De toute façon, si ça t'a choqué, c'est
que t'es vraiment gnangnan, parce que vomir,
c'est naturel et c'est bon pour la santé.»

Est-il nécessaire de préciser que cette deuxième solution était encore moins envisageable que
la première? D'abord parce que j'étais beaucoup
trop timide pour aller dire un truc pareil à un

garçon que je connaissais à peine, ensuite parce que c'est même pas vrai que vomir c'est bon pour la santé, et enfin parce que je serais morte avant d'avoir ouvert la bouche, rien que de croiser son regard — pas seulement parce qu'il avait des yeux pas possibles, mais aussi parce que je m'étais humiliée devant lui.

Troisième solution: je décidais de dormir et je remettais la question au lendemain matin.

Je choisis la troisième solution. Je dois quand même avouer que décider de dormir ne sert à rien, parce que ce n'est pas une question de volonté. Je me souviens que la dernière fois que je regardai mon réveil, il était trois heures cinquante-cinq du matin.

Quand le réveil sonna à sept heures et quart, ça me fit l'effet d'un coup de marteau sur le front. J'essayai d'ouvrir les yeux, mais ils étaient tout collés. Ma gorge était sèche et ma peau moite. Tout en me redressant, je revis quelques images du rêve que j'avais fait, un grand classique sans beaucoup d'intérêt: je vais au lycée sans ma culotte. Je faisais ce rêve à peu près une fois par mois à cette époque et j'en avais un peu honte, parce que je le considérais comme un rêve de bébé interdit aux plus de sept ans.

Je me plantai devant mon armoire ouverte et à la grande question : comment faire pour retourner en classe après ce qui s'est passé, s'ajouta une interrogation dérivée : dans quelle tenue retourner en classe après ce qui s'est passé ? Je commençai par mettre une culotte, histoire d'être sûre que le cauchemar de la nuit ne serait pas prémonitoire, puis je pris le soutien-gorge taille 80-A, que ma mère avait absolument tenu à m'acheter et que j'avais absolument refusé de mettre. Je me dis qu'un soutien-gorge aiderait peut-être. Non que je fusse passée en une nuit de la planche à pain à Marilyn Monroe, mais parce qu'un soutien-gorge, ça faisait plus femme, plus responsable, plus tout ce qu'en vérité je n'étais pas. J'enfilai le soutif sans oser me regarder dans la glace, et comme j'avais déjà perdu assez de temps avec les dessous, je pris au hasard un jean et un pull.

Quans j'entrai dans la cuisine pour dire au revoir à mes parents, ma mère réprima une moue de dégoût et dit :

— Tu ne pourrais pas faire un effort, Julia? Tu sais que tu pourrais être très jolie si tu essayais.

Je prononçai mentalement le mot: MERDE.

— Et je te prie de m'épargner tes grossièretés, me répondit ma mère à voix haute.

J'aurais vraiment aimé comprendre comment ma mère faisait pour entendre même ce que je ne disais pas. Peut-être trouvait-elle, comme moi, que le mot MERDE était la seule réplique que méritait sa remarque. Mais je la soupçonnais fort d'être incapable de vivre un tel conflit intérieur. Je mis donc cette réflexion sur le compte de la bête sorcellerie.

Mon père ne dit rien. Il avait l'air triste. Il avait les deux mains posées sur son ventre, un peu comme une femme enceinte qui frime, sauf que lui ne frimait pas. Je remarquai que le faux sucre avait remplacé le vrai sur la table de la cuisi-ne. Je lui aurais bien demandé s'il commençait un nouveau régime, mais j'eus peur qu'il se met-te à pleurer, tant ses yeux penchaient vers le bas.

Judith entra dans la cuisine à ce moment-là et dit d'une voix à mi-chemin entre celle de Michel Simon et celle de Marlène Dietrich:

— Baban, je suis balade.

Il n'y avait aucun doute. Elle avait tous les symptômes du rhume carabiné : le nez bouché, la voix qui baisse de deux octaves et sonne comme si on l'avait râpée au robot Moulinex, les yeux rouges, les cernes marron et le front en sueur.

Je me suis dit que la vie réelle était encore plus injuste que je croyais. Judith n'avait pas besoin d'être malade, elle. Elle pouvait très bien entrer la tête haute dans sa classe de CE1. Alors que moi, qui avais prié toute la nuit pour avoir une raison incontournable de ne pas franchir le seuil du lycée, je me portais comme un charme.

Je n'eus pas le courage d'embrasser mes parents. De toute façon, ma mère avait cessé de percevoir mon existence dès que son petit lapin en sucre balade était apparu dans son champ de vision. Je ne pris pas la peine de claquer la porte en sortant.

Si j'arrivais à traverser le hall du lycée sans voir Paulus, j'étais déjà sauvée pour une heure, parce que de huit à neuf, on avait gym et qu'en gym, les garçons et les filles étaient séparés. Comme j'avais vingt minutes d'avance, il n'y avait aucune chance que je rencontre qui que ce soit, à part la femme de ménage. Je traversai à grandes enjambées les couloirs qui menaient aux vestiaires sans croiser personne, et je m'assis sur les marches du petit escalier qui menait au gymnase. J'aurais aimé pouvoir ne penser à rien, ou alors à l'interro de math de tout à l'heure, ou bien encore à la faim dans le monde, à un sujet qui m'aurait embarquée loin de moi, loin du lycée, loin de Paulus. Mais il m'était impossible de me concentrer sur autre chose que sur l'humiliation de la veille et ce qui m'attendait dans une heure. Ce n'était pas tout, dès que j'essayais de me décontracter, je sentais l'élastique du soutien-gorge me scier le dos. Au bout de cinq minutes, ça me grattait partout. J'avais l'impression d'avoir une pancarte sur le front avec écrit: elle porte un soutien-gorge, ouh la honte. Je l'aurais bien enlevé, mais j'avais peur que quelqu'un débarque à ce moment-là. Qu'est-ce que j'aurais trouvé à dire à une fille de la classe ou à la prof de gym, si l'une ou l'autre m'avait surprise à moitié débraillée en train de tirer sur les élastiques de mon soutien-gorge? Dans le doute je m'abstins et me résignai à souffrir de démangeaisons pendant toute la journée.

Nadine-le-bon-sens-près-de-chez-vous fut la première à arriver au vestiaire de gym après moi. Elle avait déjà son survêtement sur elle, parce que tu vois, comme ça, je ne perds pas de temps à me changer. Je n'avais jamais osé lui dire qu'à sa place je ne me permettrais pas de sortir dans la rue en survêtement, et que d'une manière générale, moins on portait de survêtements, mieux c'était. Elle me fit un grand sourire et quatre bises («bises» c'était un mot à elle; moi je trouvais ça ringard, je disais «bisou», et surtout je n'en faisais jamais quatre, deux c'était bien suffisant.)

— Alors, Julia, c'est la forme? me demanda-t-elle, comme si j'étais une malade mentale grave et qu'elle était le seul psychiatre ayant accepté de me soigner.

— Euh… dis-je, décidant soudain de tout lui raconter.

— Hum, coupa-t-elle d'un air entendu et compatissant. Ça n'a pas l'air d'être ça.

Elle me posa la main sur l'épaule et me regarda dans les yeux, toujours avec la même tête de psychiatre sacrifié. A cet instant, je me demandai sincèrement pourquoi je ne l'aimais pas, pourquoi elle m'énervait tellement. Elle était vraiment gentille et attentionnée. Elle avait envie d'aider les gens, et de m'aider moi, en l'occurrence.

— Non, dis-je, c'est pas vraiment ça…

— T'as tes petites affaires?

Voilà. Nadine venait, sans le savoir et sans le vouloir, de répondre à ma question. Je savais maintenant pourquoi je ne l'aimais pas, pourquoi elle m'énervait. Tout simplement, parce que Nadine, la grande prêtresse de la sagesse populaire, appelait ça les «petites affaires» et surtout parce qu'elle n'avait pas assez d'imagination pour trouver une autre cause que ça à une déprime passagère. J'eus un instant envie de l'étrangler, ou de lui cracher dans l'œil, ou de lui dire un truc vraiment dégueulasse, un truc tellement horrible qu'elle n'aurait plus jamais osé m'adresser la parole. Mais je n'avais pas l'énergie nécessaire.

— Oui, c'est ça, dis-je en rougissant juste ce qu'il faut.

Elle me passa carrément le bras autour de l'épaule.

— C'est pas grave, ça va passer. Ça veut dire que tu es une femme.

Nadine, tu es allée trop loin, me dis-je en moi-même. Tu vas devoir payer.

— Non, en fait, c'est pas vrai, murmurai-je d'un ton de confidence, en me décidant finalement à pondre le mensonge le plus bidon et le plus tragique de ma carrière. En fait j'ai dit ça parce que j'osais pas te parler. Mais t'es une bonne copine, pas vrai?

Je sentis sa main se crisper d'émotion et de curiosité sur mon épaule. Je continuai:

— Voilà, j'ai appris ce matin que mes parents ne sont pas mes vrais parents.

J'avais tapé très fort. Nadine était aussi sonnée que si je lui avais envoyé un coup de poing entre les deux yeux. J'avais envie de la pousser dans ses derniers retranchements. Je sentais qu'avec une histoire pareille, elle était capable de se surpasser.

— Mais tu sais, dit-elle — et rien qu'au ton

qu'elle prit, je sentis qu'elle allait battre son propre record – l'important, c'est qu'ils t'aiment.

– Oui, Nadine, dis-je en posant ma tête dans le creux de son épaule pour étouffer mon rire.

Elle crut que je pleurais et me passa la main dans les cheveux, très doucement. Je me sentis bien. J'arrêtai de rire, et j'eus envie de rester blottie sur son épaule jusqu'à la fin des temps. Ce geste, qui, maintenant que j'y pense, me donne envie de me jeter par la fenêtre, fit monter en moi, sur le moment, une vague d'émotion violente et un sentiment de solitude tellement insondable qu'il me donna envie de pleurer.

Mme Guillaume, la prof de gym, nous surprit en plein attendrissement.

– Alors mes petites chattes – elle avait le talent pour trouver le mot juste – on se fait un gros câlin dans le noir !

Je redressai la tête, la gorge nouée. Je sentis que Nadine était terriblement gênée. Elle essaya de s'éloigner de moi en glissant sur les marches, mais son survêtement s'était pris dans un clou et elle était bloquée. Je regardai Mme Guillaume droit dans les yeux, à la fois pour la narguer et parce que j'étais fascinée par son visage.

Elle avait une tête absolument rectangulaire, le teint uniformément rouge, des lèvres charnues et pâles dont les coins ne se relevaient jamais, des yeux d'un gris transparent, des rides minuscules sillonnant sa peau par milliers, et des cheveux tirés en queue de cheval. Elle était l'expression de la sévérité, de la propreté, de la raideur. Elle se tenait devant nous comme un totem et par le seul pouvoir de sa présence muette, elle réussissait à nous faire prendre conscience de tout ce qui clochait dans notre apparence : un lacet défait, une boucle qui dépasse, une tache sur le chemisier, un bouton sur l'aile du nez. Le pire c'était quand on avait oublié de se laver les dents le matin. Elle ne disait rien, mais elle arrivait grâce à son rictus étincelant, qui tordait plus que jamais les commissures de ses lèvres vers le bas, à vous faire sentir le poids de votre propre culpabilité. Elle avait des superpouvoirs lui permettant de repérer toute trace de désordre et elle ne se privait pas d'en user.

— On pourrait peut-être en profiter pour

vous faire des couettes, jeunes filles, dit-elle de sa voix aiguë et détimbrée.

Elle avait la manie, avant chaque cours de gym, de faire des couettes aux élèves qui avaient les cheveux longs. Elle se baladait toujours avec une poignée d'élastiques dans sa poche. Des élastiques marron, en caoutchouc, larges comme des nouilles et qui faisaient très mal aux cheveux. Je crois qu'elle aimait les couettes parce que cette coiffure lui donnait l'impression d'être l'entraîneuse attitrée de l'équipe nationale de gymnastique roumaine. Il ne nous manquait que les gros rubans blancs au sommet du crâne pour ressembler aux petites athlètes douze-ans-un-mètre-trente-cinq-seize-kilos, que l'on voyait s'envoyer en l'air au-dessus de la poutre au moment des Jeux Olympiques. La ressemblance se bornait à la coiffure, car, pour la plupart, nous étions incapables d'accomplir les figures, pourtant simplissimes, que nous proposait Mme Guillaume. Seule Sylvie Guidon, la plus belle de la classe, une frimeuse comme on n'en rencontre qu'une fois par siècle, réussissait à satisfaire les désirs esthético-sadico-sportifs de notre respectée prof de gym. Elle savait faire, tenez-vous bien, le grand écart facial! Elle n'hésitait d'ailleurs jamais à nous le rappeler à chaque cours en nous faisant une petite démonstration gratuite. Je rêvais souvent qu'un jour, à force d'écarter les jambes, elle se déchirerait en deux dans le sens de la hauteur. Je suis sûre que si c'était arrivé, elle n'aurait pas cessé de sourire, avec son air de dire: «Je suis tellement plus belle que vous.»

Les autres filles arrivèrent tandis que Nadine et moi souffrions le martyre entre les mains de Mme Guillaume, bardées d'élastiques jusqu'aux poignets. Dès que mes couettes furent ficelées, tirées, bien serrées, je me précipitai sur Johana pour lui demander des comptes. Elle était dans le vestiaire, cachée derrière son manteau en train de terminer une clope.

— Johana, dis-je, en lui tapant sur l'épaule.

Elle sursauta, croyant avoir été prise en flagrant délit de tabagisme par les autorités compétentes.

— Ah, c'est toi, dit-elle, soulagée, en se retournant.

— Qu'est-ce que tu foutais avec Paulus hier après-midi?

— On était au café.

— Et qu'est-ce que tu foutais au café avec lui?

— Mais rien. Il m'avait demandé de l'accompagner. T'es jalouse ou quoi?

— Jalouse? moi? de toi? tu rigoles?

— Pourquoi t'es dure comme ça?

— Et toi, pourquoi t'es molle?

— Oh, lâche-moi les baskets. Je t'ai rien fait.

— T'appelles ça rien?! Je vais plus jamais pouvoir le regarder en face, je me suis humiliée publiquement, j'ai failli mourir de honte, et t'appelles ça rien?

— Qu'est-ce que tu racontes?

En un éclair, un peu tardif, je dois le reconnaître, je compris que Johana n'était pas au courant de l'affaire du vomi.

— T'as pas entendu ce que je lui ai dit au téléphone? demandai-je, sur le ton le plus détaché possible.

— Ben, comment voulais-tu que j'entende? Y a pas d'écouteur sur les téléphones à pièces. Et de toute façon, quand il a pris l'appareil, il m'a fait signe de me pousser.

Il n'est pas normal, me dis-je. Il ne fait rien comme les autres. Il aurait dû lui faire écouter, ou au moins lui raconter après, pour en rire.

— Et qu'est-ce qu'il a dit quand il a raccro-ché? demandai-je un peu anxieuse.

— Il a dit… attends que je me rappelle… il a dit: «J'ai très peu d'espoir.» Ou un truc comme ça. Un truc un peu cucu.

Il ne s'était pas moqué de moi. Johana ne sa-vait rien. Personne ne savait rien. Ça ne rendait pas la confrontation plus facile — je mourrais sans doute de honte dès que je le verrais — mais ça n'était pas pareil si ça restait entre nous. C'était un secret.

Ce qui était bien avec Johana, c'est qu'elle n'était pas curieuse pour un rond. N'importe quelle autre fille, Coralie Toquet, par exemple, m'aurait demandé: «Mais qu'est-ce que c'est que cette histoire d'humiliation, de honte et tout ça?» Johana, elle, était trop paresseuse pour avoir envie de connaître ce qu'on ne lui disait pas. Ce n'était pas la seule de ses qualités. J'aurais du mal à déterminer les autres, ce que je sais, c'est qu'auprès d'elle, malgré toutes nos disputes, je me sentais bien.

Mme Guillaume fit son intrusion habituelle dans le vestiaire pour accomplir sa tournée de couettes alors que nous commencions à nous déshabiller.

— T'as mis un soutif? dit Johana qui en portait depuis la sixième.

— Et alors?

— Alors rien, il est très joli.

Je n'osai pas baisser les yeux pour le regarder tant je me sentais bizarrement fagotée.

— Merci, dis-je.

— Je peux me mettre à côté de toi pour l'interro de math? demanda Johana.

— Bien sûr. Tu vas voir, ça va être facile.

— Pour toi, c'est toujours facile.

— Non, je veux dire, facile à copier. Y aura pas de courbes, ni de phrases longues, rien que des chiffres. C'est ça qui est pratique avec les équations.

— Miss Decourt! hurla Mme Guillaume en

arrivant près de Johana, combien de fois devrai-je vous répéter que je ne tolère pas la couleur rouge à mon cours?

Johana venait de passer un maillot de basket-ball écarlate et archi-échancré.

— O.K., madame, pas de problème, dit Johana, en retirant son tee-shirt, vous avez une chance pas croyable, j'ai justement un soutien-gorge blanc.

Mme Guillaume se raidit, grandit de dix centimètres, pâlit, serra les poings et pour passer sa rage décida de faire à Johana les couettes les plus serrées et les plus ridicules de toute sa carrière.

Lorsqu'elle relâcha sa proie, celle-ci avait les cheveux tellement tirés qu'elle avait les tempes rouges et les yeux bridés. Je lui prêtai ma veste de survêt bleue et nous sortîmes en petite foulée et en file indienne du vestiaire, au rythme du chant de guerre de Mme Guillaume:

— Une, deux, je souffle — une, deux, je souffle... etc.

Le cours de gym se passa normalement. Peut-être même mieux que d'habitude puisque je réussis à battre mon record personnel à la corde : 18 secondes 2. Grâce à cette performance historique, je passai de dernière à avant-dernière. L'antichambre de la gloire.

Sylvie Guidon nous fit la totale : grand écart droite, face, gauche, et je l'imaginai un instant continuant sa petite manœuvre pour effectuer un cercle complet, puis un deuxième, un troisième, se tordant sur elle-même et soudain lâchant prise pour se dérouler d'un seul coup, creuser le sol du gymnase en vrillant et se retrouver avec ses frères les rats dans les égouts.

Nadine ne me lâcha pas des yeux de toute l'heure et me fit des tas de signes, de clins d'œil, et de sourires demi-tristes visant à m'exprimer sa profonde sympathie. Je me sentis coupable de lui avoir menti et pour cesser d'y penser je me mis en tête de réussir à faire l'équilibre. Mme Guillaume accourut pour m'assister. Au bout de la dixième tentative, après m'être écrasée lamentablement au sol, je lui confiai pour la rassurer que j'avais depuis ma naissance une faiblesse dans le bras gauche. Stimulée par cette difficulté et décidée à faire de moi une star du handi-sport elle ne me lâcha plus d'une semelle.

– La semaine prochaine, je vous mets aux haltères, me dit-elle à voix basse, et dans un mois vous marchez sur les mains.

Ça avait l'air de lui faire tellement plaisir que je me mis à y croire moi-même, et à considérer la possibilité de manier les haltères comme un de mes rêves les plus fous.

Quand nous entrâmes dans la salle de math, Johana et moi étions encore toutes collées et transpirantes. Les couettes défaites en hâte nous avaient laissé des cheveux hirsutes et indomptables. Les autres filles n'étaient pas mieux, mais était-ce une consolation ? Quant aux garçons, ils avaient les joues écarlates, en plus des cheveux collés sur le front par la sueur, parce que pendant que nous avions eu une séance de gym intimiste au sous-sol du lycée, ils avaient eu plein air. Une heure entière de course à pied, le matin au saut du lit, sur un terrain gravillonneux coincé entre trois immeubles style H.L.M., pouvait-on imaginer pire torture ? A part bien sûr se retrouver au téléphone en train de parler de vomi à un type qu'on connaît à peine, qui est le plus beau du monde et qui, paraît-il, est fou de vous.

Nous nous assîmes en désordre, dans un chaos de sacs de gym jetés sous les chaises. J'eus quand même le temps de faire un bref tour d'horizon à travers mes lunettes de taupe. Je m'en voulus terriblement de sentir les battements de mon cœur s'amplifier et s'accélérer comme si j'allais passer une audition de violon au conservatoire. Je m'en voulus encore plus quand, au lieu d'exulter en remarquant l'absence de Paulus, je me surpris à être déçue. Je baissai la tête vers ma table, perplexe. Pourquoi n'était-il pas là ? Est-ce qu'il avait séché le cours de gym ? Est-ce qu'il était malade ?

Johana, elle, avait des préoccupations beaucoup plus terre à terre.

— Tu mets bien ta feuille de travers, d'accord ? me glissa-t-elle, alors que le silence angoissé qui précède toujours le début d'une interro de math commençait à s'installer. Quand tu mets ta feuille droite, j'arrive pas à lire.

— T'inquiète pas, lui dis-je sans écouter ce qu'elle me disait.

Mme Lavis distribua les polycopiés et alla se rasseoir à son bureau pour faire l'appel. C'était un truc à elle, faire l'appel après avoir distribué les sujets. Elle prétendait que ça nous empêchait de nous jeter sur nos feuilles sans réfléchir. Elle pensait que si on prenait ce petit temps entre le face-à-face avec l'équation et la tentative hystérique de résolution, on avait plus de chances d'éviter les erreurs stupides. Je l'aimais bien Mme Lavis, mais je dois avouer qu'elle était un peu naïve.

Nom après nom, les «présent, m'dame», les «oui», les «ouais», les «humpf» s'égrenaient régulièrement. Lorsque la prof dit «Stern?», il y eut un blanc qui gâcha l'harmonie ronronnante et fit se lever quelques têtes. Au lieu de passer au suivant, Mme Lavis – quelle mouche la piquait? – répéta la nom, comme si le fait d'invoquer l'esprit de Paulus pouvait suffire à le faire apparaître par magie. Je la priai en silence d'arrêter là ses pratiques vaudoues, et de me laisser enfin me plonger dans l'interro comme un porcelet insouciant dans une mare de boue. Je l'aurais tuée. Elle répéta une troisième fois:

– Paulus Stern?

C'est alors qu'il déboula dans la salle, plus échevelé et livide qu'un véritable spectre frais sorti de sa tombe. Je regardai Mme Lavis et vis se dessiner un petit sourire sur ses lèvres. Elle reprit tranquillement son appel. Ce n'était pas seulement la meilleure prof de math du monde, c'était aussi une sorcière expérimentée. Je tournai la tête vers Paulus, qui, haletant, les yeux rouges et la mine affolée, cherchait un moyen de se frayer un chemin entre les tables sans se prendre les pieds dans les lanières des sacs de gym. Il était trop occupé à garder son équilibre pour remarquer que je l'épiais. Je fixai un instant son visage puis je descendis de son visage à son cou et de son cou un peu plus bas encore. Sa chemise avait trois boutons ouverts, alors que d'habitude il la portait fermée jusqu'en haut. Je détournai immédiatement les yeux. J'étais troublée. Je détestai instantanément cet état. Je me traitai mentalement de tous les noms et je me jetai sur ma feuille au mépris des recommandations de Mme Lavis.

Au bout d'une demi-heure, j'avais terminé les quatre exercices. J'attendis un peu pour laisser le temps à Johana de copier et quand elle me fit le signe convenu qui signifiait: «Reçu cinq sur cinq, j'ai tout pompé», je me levai pour rendre ma feuille.

— Ça ne va pas, Julia? me demanda Mme Lavis quand je lui tendis ma copie. Elle était décidément d'une perspicacité étourdissante aujourd'hui.

— Si, si. Ça va, chuchotai-je.

— Vous êtes toute pâle.

Je sentis que si je restais une minute de plus en face d'elle, elle se mettrait à lire dans les lignes du marc de café que j'avais à la place du cerveau. Il fallait impérativement que je me tire des griffes de son extralucidité.

— Vous avez peut-être raison. Je vais aller à l'infirmerie.

Le tour était joué. Elle allait me lâcher les baskets psychiques. Certaines personnes, en particulier Johana, trouvent que j'ai une fâcheuse tendance à attribuer aux adultes des superpouvoirs qu'ils n'ont en fait pas du tout. C'est un peu vrai. Dans le fond, Johana n'est pas si con.

Je sortis de la classe et me retrouvai seule dans le couloir. Le lycée était complètement désert et silencieux. Le fait de savoir tous les autres enfermés alors que je déambulais tranquillement devant les salles pleines me donna un doux frisson de liberté. Je fis trois pas à cloche-pied, tournai sur moi-même, marchai avec les fesses en arrière, puis avec les pieds en dedans, en imitant Cheeta, le singe de Tarzan, puis en imitant Tarzan lui-même – je bombai le torse, regardai un éléphant imaginaire et lui dis : «Ungawa Timba» d'un ton horriblement paternaliste. Personne ne me vit. En tous cas, je l'espère. Si j'apprends que quelqu'un m'a vue en train de faire ça, c'est promis juré, je mange mon livre de math.

En arrivant à l'infirmerie, je frappai à la porte et j'entendis le pas lent de Mme Levitansky, qui n'avait pas quitté ses sabots depuis qu'elle avait lu dans un *Cosmopolitan* de 1972 que c'était la grande mode cet été. Mme Levitansky m'ouvrit la porte et me dit avec son accent inimitable mi-russe, mi-suisse, mi-breton :

– Ah, c'est toi Julia ?

– Ben oui.

– Entre, dit-elle en ouvrant grand la porte pour me laisser passer. Qu'est-ce qui ne va pas ?

Je savais par expérience qu'il était inutile de décrire quelque symptôme que ce fût à Mme Levitansky, parce que, quoi qu'on lui dise, les consultations se déroulaient toujours de la même manière. Ce jour-là, ça m'arrangeait spécialement, vu que je n'avais pas le moindre symptôme à lui mettre sous la dent.

— Tu as tes règles, demanda-t-elle en s'asseyant à son bureau.

Décidément, toutes des obsédées, me dis-je en moi-même. Je pensai soudain que je devrais organiser une petite fête avec Nadine et Mme Levitansky. J'étais persuadée qu'elles auraient beaucoup de choses à se dire.

— Non, répondis-je. (J'avais décidé d'être à peu près honnête pour une fois.)

— Tu as mal à la tête?

Aux questions de l'infirmière, il suffisait de répondre par une moue insondable qu'elle se chargeait de décrypter. Ce n'était pas la peine de dépenser de la salive, parce qu'on finissait toujours avec un sucre à l'alcool de menthe dans la bouche et un thermomètre dans le cul.

— Tu as mal au ventre?

– …

– Tu as du mal à respirer ?

– …

– Tu as de la fièvre ?

J'étais bonne pour le thermomètre.

– Tu as petit-déjeuné ce matin ?

Hop, le su-sucre.

Je m'allongeai sur la table d'examen pour recevoir mon traitement.

– Tu vas rester ici jusqu'au prochain cours, me dit Mme Levitansky en voyant que je n'avais pas de température. Tu vas te reposer un peu, et puis, tu verras, tu iras très bien.

Mme Levitansky, je vous aime, lui dis-je en silence. Elle alla s'asseoir à son bureau et reprit son tricot.

Quant à moi, je décidai de me faire une petite séance de méthode Coué.

– Je n'aime pas Paulus – je n'aime pas Paulus – je n'aime pas Paulus – je n'aime pas Paulus…

D'habitude, je pense qu'on est tous d'accord là-dessus : la méthode en question ne marche pas. Cette fois-ci – miracle ! – elle fonctionna parfaitement. Je me mis à repenser à Karim Djélouli, et à essayer de comparer mes sentiments de l'époque à ceux que je ressentais maintenant. Quand j'étais avec Karim, dans la même pièce, je me sentais toujours bien, heureuse, gaie, sans souci – il faut dire que d'une manière générale, à cinq ans on est mieux, plus heureuse, plus gaie et on a moins de soucis qu'à quatorze ans. Dès que je voyais Paulus, au contraire, j'avais des sueurs froides, des tremblements intérieurs, des fourmis dans les pieds et surtout je sentais s'abattre sur moi quelque chose que j'appelle «le poids de la vie». «Le poids de la vie», c'est très dur à décrire, c'est quelque chose de vague, de cotonneux, d'opaque, pas aussi exaltant qu'un beau nuage noir, ça ne ressemble pas non plus à un cou- vercle, c'est plutôt du genre visqueux, si vous voyez ce que je veux dire. La démonstration était claire et la conclusion à laquelle elle menait in- contournable: je n'aimais pas Paulus. Je me sentis soudain beaucoup mieux. En plus, cette histoire pouvait très bien être un complot contre moi. J'avais vu des films où un type superbeau était engagé par d'autres pour séduire la mocheté du coin et la tourner en ridicule. Qu'est-ce que ça pouvait bien me faire si c'était vrai, puisque je n'aimais pas Paulus? Et s'il m'aimait vraiment, alors... alors c'était plus compliqué et plus incompréhensible. Je me redressai sur un coude pour me regarder dans le miroir accroché au-dessus du lavabo sur le mur d'en face. J'enlevai mes lunettes. Je les remis aussitôt parce que sans mes lunettes, ça ne sert à rien que je me regarde dans la glace, je ne vois qu'une tache claire avec deux trous noirs à la place des yeux. J'essayai de me regarder comme si c'était la première fois que je me voyais, comme si je n'étais pas moi-même. Je n'étais pas vraiment une mocheté. Je n'avais pas un truc épouvantable sur la figure, comme une pustule verte avec des poils au bout, ou des dents tellement en avant qu'on ne voyait pas mon menton derrière. Et puis s'il avait envie de m'aimer après tout, il devait bien avoir ses raisons

Je me rallongeai sur la table d'examen. Je fermai les yeux et je m'endormis.

– Julia, Julia!

La voix de Johana me tira d'un rêve dans lequel nous étions tous à table dans la cuisine, maman, papa, Judith et moi. Maman nous tournait le dos, et disait: «Si vous croyez que je ne vous vois pas…»

Je me redressai en sursaut.

— Qu'est-ce qu'il y a? demandai-je en prenant la main de Johana.

— Y a rien. Je viens te chercher pour aller en français. Mme Levitansky dit que tu peux retourner en cours.

— J'ai fait un cauchemar horrible.

Johana s'assit sur le bord de la table d'examen.

— Qu'est-ce que t'as rêvé?

— Un truc tellement horrible que je ne peux pas le raconter.

Je savais que si je le racontais à Johana elle me dirait que ce n'était pas un cauchemar et qu'elle ne voyait pas ce qu'il y a avait d'horrible là-dedans.

— Bon, comme tu veux, dit-elle. On y va?

Johana était décidément la reine de la discrétion.

— Attends, dis-je en descendant du matelas

dur recouvert de skaï vert foncé, je veux te poser une question.

Johana me regarda d'un air à peine intéressé, mais suffisamment interrogateur pour m'engager à continuer. Je savais que c'était par pure politesse qu'elle faisait semblant de vouloir que je lui pose cette foutue question. J'avais l'habitude, ça ne me gênait plus. A force de côtoyer Johana et sa légendaire indifférence, je crois que j'aurais pu raconter ma vie à une motte de terre.

— Comment tu me trouves? lançai-je donc sans beaucoup d'espoir de réponse.

— Là, maintenant? demanda Johana en clignant lentement des yeux.

— Non, en général. Tu me trouves moche?

— Non.

Quelle réponse nulle! Il n'y avait vraiment que ma meilleure amie pour dire un truc aussi mou dans une situation aussi tragique.

— Je crois que tu n'as pas bien compris ma question, lui dis-je. C'est extrêmement important pour moi, Johana. Il faut absolument que je sache si je suis moche ou pas, et si je ne le suis pas, il faut absolument que je sache si je suis belle.

— Ben... commença-t-elle en sortant une ci-garette de son paquet... tu sais, moi.. poursui-vit-elle en l'allumant... je ne m'y connais pas tel-lement... acheva-t-elle en tirant une bouffée.

— Attends, je vais t'aider, dis-je, bien décidée à lui faire cracher le morceau. Catherine Deneu-ve, tu la trouves comment?

— Vieille.

— Bon, t'as gagné, j'abandonne. De toute fa-çon, j'aime pas Catherine Deneuve.

Nous sortîmes de l'infirmerie sans dire au re-voir à Mme Levitansky qui s'était endormie sur son tricot.

Dans le couloir qui menait à la salle de fran-çais, je me demandai comment on pouvait faire pour savoir vraiment de quoi on avait l'air. On est tellement habitué à sa propre figure au bout de quatorze ans de vie, qu'on ne sait plus du tout où l'on se place sur l'échelle de la beauté, qui compte à peu près mille fois plus de degrés que celle de Richter. Je regardai Johana. Johana était vraiment jolie, ça ne faisait aucun doute. Même elle devait s'en rendre compte. Elle avait la peau mate, les cheveux brillants et ondulés, elle n'était ni trop grande, ni trop maigre, elle était pile bien comme il faut. Mon cas était beaucoup plus compliqué. J'étais trop maigre, un poil trop grande, j'avais les cheveux brillants, certes, mais frisés, je portais des lunettes et j'avais une peau laiteuse à en écœurer même les plus fervents amateurs de Jockey. Parfois je me faisais draguer dans la rue, mais qui ne se fait pas draguer dans la rue, et en plus si vous aviez vu la gueule des types, style Frankenstein de un mètre douze, en costume trois pièces avec attaché-case incorporé. Si seulement Paulus avait pu avoir un attaché-case, tout aurait été plus facile ! J'aurais été persuadée dès le premier regard que je le détestais.

— Qu'est-ce que tu fais pendant les vacances ? me demanda Johana, interrompant net le cours de mes pensées.

— Les vacances ? J'avais complètement oublié ! répondis-je en sursautant. C'est demain ! C'est dingue !

— Qu'est-ce que tu fais, tu pars ? répéta Johana, que le spectacle de sa meilleure amie tombant des nues à trois cents kilomètres/heure barbait complètement.

— On va au ski.

— Qui ça, ON?

— Ben, mes parents, Judith et moi. On va tous les Noël aux sports d'hiver en famille.

— T'es contente?

Je ne m'étais jamais posé la question. Aller aux sports d'hiver en famille à Noël était devenu une telle habitude que je ne savais même plus si ça me faisait plaisir.

— Je ne sais pas, répondis-je en me disant que si, en fait, j'étais contente mais que ce serait trop compliqué d'expliquer pourquoi. Et toi, qu'est-ce que tu fais?

— Rien, dit Johana plus sombre soudain. Je devais partir dans le Midi avec mon père, mais finalement il emmène sa nouvelle petite amie en voyage de noces aux Antilles.

— Il s'est remarié?

— Non.

Je n'osai pas demander à Johana pourquoi, dans ce cas, elle avait parlé de voyage de noces. Une larme perlait sur sa joue. Je ne l'avais jamais vue pleurer. J'eus envie de lui prendre la main, mais mon bras resta collé à mon corps. Je me tus et la regardai du coin de l'œil sortir une cigarette de son paquet, l'allumer et la fumer en reniflant à peine et en fronçant les sourcils pour s'empêcher de pleurer.

3

Quand je poussai la porte d'entrée de la maison, tout en pensant à ce que j'allais mettre dans ma valise pour les vacances – pas de combinaison de ski, ça fait bébé, un jean et l'ancien anorak de tonton Georges – je sentis tout de suite que quelque chose n'allait pas. Malgré la nuit, qui commençait sérieusement à tomber, toutes les lumières de l'appartement étaient éteintes. Il n'y avait pas un bruit. Tout était figé, vide et sinistre, exactement comme le jour où tata Gilda était morte. Je me dis: «Julia, sois courageuse, ma fille, ça va être un très mauvais moment à passer. Tu ne le sais pas encore, mais la police t'attend dans ta chambre pour t'annoncer que toute ta famille est morte dans un incendie de forêt. Pire, pendant que tu montais l'escalier, il y a eu une attaque nucléaire, tu es la seule survivante. Pire, pire, Paulus est venu demander ta main à tes parents, il est tombé amoureux de ta mère, ils sont partis ensemble, et papa et Judith se sont enfuis à Disneyland pour oublier.» En ruminant tout ça j'étais arrivée jusqu'à la porte de ma chambre. Je l'entrouvris tout doucement en fermant les yeux et en reculant le plus possible le moment où je devrais affronter la terrible vérité.

Sur mon lit, dans le noir, éclairée par un halo jeté au hasard par un réverbère de quartier, se trouvait Judith, repliée en une boule compacte. Elle portait une salopette rouge, des chaussettes rouges et un pull rouge. A part ses cheveux, elle ressemblait à s'y méprendre à un Babybel géant. Elle ne faisait aucun bruit, je ne l'entendais même pas respirer. Je m'assis sur le lit et approchai ma main de son épaule en me disant: «C'est trop horrible, tout ça ne peut pas t'arriver à toi, Julia Fuchs.» Lorsque le bout de mes doigts touchèrent la laine du pull-over rouge, Judith sursauta. Je l'avais réveillée.

— Qu'est-ce que tu fais là? lui dis-je. Où est maman?

— Chut! me dit-elle en murmurant. C'est horrible. Maman et papa sont dans la chambre. Ils disent rien. Ils sont fâchés, poursuivit-elle d'une voix microscopique.

— Tu as fait une bêtise? chuchotai-je en l'imitant.

— Non, dit-elle. C'est papa.

— Papa a fait une bêtise? dis-je un peu sceptique.

— Non, dit-elle, visiblement très énervée que je ne comprenne pas du premier coup. Il a été renvoyé.

— Comment ça, renvoyé?

— Renvoyé, un point c'est tout, répondit Judith. Il est rentré du travail à trois heures de l'après-midi et maman et moi on était dans la cuisine, et il n'est pas entré dans la cuisine, il est resté dans le couloir, on ne le voyait pas et il a dit: «Putain de bordel de merde, ils m'ont renvoyé, les salauds, je m'en fous pas mal, je toucherai le chomdu, bien fait pour leur gueule.»

— Papa a dit ça?

J'étais stupéfaite; mon père ne disait jamais de

gros mots d'habitude, surtout s'il savait que Judith était dans les parages.

— Oui, dit-elle, il a dit exactement ça et maman est sortie de la cuisine et... non, d'abord elle a jeté son torchon, elle voulait le jeter sur la table mais il a atterri dans l'évier, et dans l'évier il y avait plein d'eau qui puait le chou-fleur, alors maman a dit merde trois fois, et puis elle m'a regardé, et elle a répété «oh, et puis merde». Ensuite elle est sortie et elle s'est mise à crier avec papa. Alors moi je suis venue pleurer dans ta chambre et maintenant je dors.

Judith avait l'air tout triste en racontant ça; elle avait son petit menton qui tremblait.

— Tu sais, lui dis-je histoire de lui changer les idées, quand je suis entrée et que je t'ai vue, roulée en boule sur mon lit, avec tous tes habits rouges, j'ai cru que tu étais un Babybel géant.

Ça marcha, Judith éclata de rire. Le Babybel était son fromage préféré. Malheureusement, ce qui marchait à tous les coups avec Judith n'avait aucune chance de marcher avec les parents. Car il existe une règle d'or qu'il est important de ne jamais oublier, si on ne veut pas se fatiguer pour rien: un parent de mauvaise humeur reste de mauvaise humeur, quoi qu'on fasse, jusqu'au moment où, de lui-même et pour des raisons mystérieuses, il ne l'est plus. J'imaginais très bien mes parents dans leur chambre à cet instant précis: maman allongée sur le lit, faisant de la respiration ventrale soi-disant pour calmer ses nerfs, mais en vérité pour attirer l'attention de papa et en profiter pour émettre de longs soupirs. Je voyais aussi papa, assis dans le fauteuil en velours côtelé vert, la tête dans les mains et le souffle à moitié coupé par la ceinture de son pantalon parce qu'il était trop gros pour pouvoir pencher la tête en avant. Je les imaginais donc très bien, muets, crispés, attendant chacun dans son coin l'occasion de se remettre à crier, ou de se mettre à parler calmement pour redevenir de bonne humeur. Quand mes parents sont fâchés, le plus énervant, c'est qu'aucun des deux n'accepte de faire le premier pas vers la réconciliation, ce sont deux boudeurs professionnels et ils mettent un orgueil incroyable à rester fâchés plus longtemps l'un que l'autre. Moi, quand je boude, je m'ennuie tellement au bout de cinq minutes que je saisis le moindre petit événement pour retourner ma veste. Peut-être que quand j'aurai l'âge de ma mère ça changera.

— Tu sais ce qu'on va faire? dis-je à Judith.

— Non, dit-elle, tout excitée à l'idée que j'allais peut-être lui proposer de jouer à la marchande.

— Toi tu vas rester ici, dans ma chambre, et moi, pendant ce temps-là, je vais aller discuter avec les parents.

La tête de cornichon moisi que me fit Judith me permit de comprendre instantanément que j'avais fait une erreur de formulation dans ma proposition.

— Je ne t'ai pas tout dit, ajoutai-je dans l'espoir de sauver ma tentative de négociation, j'ai oublié de te préciser que si tu restais dans ma chambre pendant que moi j'allais discuter avec les parents, c'était pour pouvoir essayer tous mes habits.

— Même ta robe en soie avec les grandes manches?

Ce que la vie était dure parfois!

— Oui, dis-je à contrecœur, même ma robe en soie.

La chambre des parents, comme le reste de l'appartement, était plongée dans la pénombre. Ainsi que je l'avais prévu, papa et maman étaient là, muets et crispés, mais en sens inverse, c'est à dire que c'était mon père qui était allongé sur le lit et ma mère qui se tenait la tête dans les mains, assise sur le fauteuil en velours côtelé vert. Ils ne tournèrent pas la tête vers moi en m'entendant entrer. Ça n'allait pas être facile.

Soudain je me souvins que les vacances commençaient le lendemain et qu'on était censés faire nos valises pour partir au ski dans la nuit.

— Quelle valise je prends? demandai-je, passant mentalement du coq à l'âne.

— Non mais qu'est-ce que j'ai fait au bon Dieu?! gémit ma mère sans lâcher sa tête.

Et moi donc, pensai-je. Qu'est-ce que j'avais fait au bon Dieu pour oublier complètement la situation et dire — plus bête, tu meurs — «Quelle valise je prends?»

— Mais qu'est-ce que je lui ai fait? reprit ma mère. (Elle leva les yeux vers moi.) Je te signale, ma chère petite, que ton père a été licencié cet après-midi. Alors les vacances aux sports d'hiver, cette année, ce n'est même pas la peine d'y penser. (Elle marqua une pause, puis reprit — ça m'aurait étonnée aussi qu'elle s'arrête en si bon chemin–): Qu'est-ce que tu peux être égoïste tout de même! Ton père est au chômage, je suis désespérée et toi, tout ce qui t'intéresse, c'est TA VALISE. Et depuis quand tu as une valise pour toi toute seule? Je te rappelle que tu as une petite sœur, au cas où tu l'aurais oublié. Tu te crois toujours fille unique. Tu sais que psychologiquement c'est très dur à vivre pour Judith?

«Très dur à vivre, mon cul!» me dis-je en silence. Ma mère, en bonne télépathe, n'eut aucun mal à se brancher sur mon subconscient.

— Et je te prie de m'épargner tes sarcasmes. Ton père et moi avons assez de problèmes comme ça.

— Jacqueline! cria soudain mon père en se redressant. Laisse ta fille tranquille avec sa petite sœur. Il faut que je lui parle, que je lui explique. Viens t'asseoir ici, me dit-il en me montrant un coin de lit.

Je posai un quart de fesse sur le matelas.

— Julia, me dit-il sans me regarder, j'ai été renvoyé de mon travail.

— Je sais, dis-je d'un ton assez gai — je ne voyais pas vraiment ce qu'il y avait de triste là-dedans. Mais pourquoi ils t'ont renvoyé?

Papa baissa la tête et resta muet.

— Son patron lui a dit que c'était à cause d'une compression de personnel due au rachat de leur boîte par une société plus importante, dit ma mère à toute vitesse. Mais ton père a trouvé une lettre anonyme sur sa table, en revenant du bureau du patron.

Je n'y comprenais rien. Compression de personnel, qu'est-ce que ça pouvait bien vouloir dire? Et cette lettre anonyme, qu'est-ce que ça signifiait? Est-ce que mon père avait commis un meurtre? Non! Je savais! Maman, ce n'est pas la peine de parler, pensai-je, ne t'humilie pas devant moi. Comment ne l'avais-je pas compris tout de suite? Une lettre anonyme, une femme jeune et belle mariée avec un monsieur très gentil, mais beaucoup trop gros, c'était une sombre, une très sombre histoire d'adultère.

— Dans cette lettre, poursuivit ma mère en

rougissant un peu, quelqu'un, sans doute un col-
lègue de travail, un jaloux, que sais-je? dit à ton
père que c'est à cause de... à cause de son poids
qu'il a été renvoyé.

Ma mère me tendit une feuille couverte de
caractères découpés dans le journal, exactement
comme dans un film policier:

Si le boss te saque, c'est parce que t'es trop gros.

Un ami.

— C'est complètement ridicule! dis-je en
riant. Même les mômes de la classe de Judith ont
arrêté depuis des années de faire ce genre de
blague idiote. C'est niveau maternelle arriérée.

Mes parents n'eurent pas l'air convaincus.
Mon père releva tout de même un peu la tête.

— Je suis d'accord avec toi, Julia, dit ma mère.
Ça n'est pas très malin de la part de l'auteur, mais
ton père est persuadé que c'est la vérité. Quant à
moi, connaissant M. Croque, son patron, ça ne
m'étonnerait pas non plus.

— Pourquoi, dis-je, qu'est-ce qu'il a de spécial ce M. Croque, à part qu'il s'appelle M. Croque?

— Tu sais, dit maman, c'est le genre de type qui fait du jogging tous les matins avant d'aller à son travail, qui mange du pain complet, qui fait des cures de santé à Vittel, qui n'a jamais un cheveu qui dépasse, jamais une chaussette en synthétique, ou un pantalon trop serré à la taille, un nazi, si tu préfères.

Quelque chose clochait. J'avais l'impression que ma mère venait de décrire l'homme de ses rêves, le mari idéal, le même qu'elle au masculin, et pourtant elle avait l'air aussi dégoûtée que si elle avait mangé un bout de gras avarié. Je me rendis soudain compte, avec un frisson à mi-chemin entre l'agréable surprise et l'effroi de l'inconnu, que j'avais pris pendant des années ma mère pour ce qu'elle n'était pas. Je compris en un éclair que si on la mettait face à Warren Beatty d'un côté et Michel Simon de l'autre, elle n'hésiterait pas une seconde et courrait se jeter dans les bras flasques du vieux gros monsieur.

— Mais maman, dis-je en lui souriant, même si le patron de papa est comme tu dis, ce n'est pas une raison. Les adultes ne font pas des choses comme ça. Ils ne renvoient pas quelqu'un parce qu'il est gros…

Je m'arrêtai net, je n'avais jamais osé auparavant utiliser le mot «gros» pour parler de mon père, mais visiblement, ça ne les choqua ni l'un, ni l'autre.

— Si, dit simplement mon père. Gilbert Croque fait des choses comme ça.

— Ecoute, lui dis-je pour le consoler, je préférerais mille fois être gros et au chômage qu'être un chef d'entreprise ultra-svelte et m'appeler Gilbert Croque, c'est vraiment le nom le plus débile que j'aie jamais entendu.

Mon père fit un petit sourire vague qui lui donna l'air encore plus triste.

— Va chercher ta sœur, me dit ma mère. Il faut qu'on lui dise qu'on ne va pas au ski cette année.

Judith fut absolument enchantée par la nouvelle.

— Ouais! dit-elle en sautant sur place. Super génial. Je déteste la neige et en plus Camel il reste à Paris pendant les vacances, alors comme ça on pourra aller jouer dans son immeuble !

— Qui est Camel ? demandai-je à ma mère.

— C'est l'amoureux de Judith, dit ma mère d'un ton blasé.

— Même pas vrai, s'écria Judith. C'est pas mon amoureux.

Elle allait se mettre à pleurnicher quand, pour essayer d'arranger les choses, je dis :

— Mais non, maman, ça ne peut pas être son amoureux, Judith est trop petite pour avoir un amoureux.

Judith en eut le souffle coupé. Elle me mitrailla d'un regard qui voulait dire : « Traîtresse, sale traîtresse, je te hais. »

Les vacances de Noël à Paris, pourquoi pas ? me dis-je en allant au lit, après un dîner pouvant figurer sans problème à la tête du hit-parade des soirées sinistres. Je n'avais jamais essayé, mais ça s'annonçait bien. Johana non plus ne partait pas. On pourrait passer des après-midi ensemble, faire des courses à Galaxie, le grand centre commercial près de la maison, aller au cinéma, marcher dans les rues en regardant les gens, rester à la maison à ne rien faire ou à discuter pendant des heures. C'était décidé, je l'appellerais le lendemain dès que je serais réveillée.

— Allô, Johana?
— Oui
— C'est Julia, je te réveille pas?
— Non, non. Ça va? T'es pas au ski?
— Non, figure-toi qu'on ne part pas.
— Pourquoi?
— Parce que mon père a été licencié, il est au chômage.
— Et alors?
— Et alors quoi?
— Quel rapport avec les vacances?
— Je ne sais pas.
— Je veux dire, s'il est au chômage, il n'a pas de problèmes pour aller en vacances puisqu'il ne doit plus aller au travail.

Johana avait raison. Il y avait quelque chose de pas logique là-dedans. Je n'avais pas réfléchi quand mes parents m'avaient annoncé que le départ était annulé. Ils l'avaient dit sur un tel ton que ça m'avait semblé évident.

— Peut-être que c'est parce qu'on n'a plus d'argent, dis-je à Johana.

— Sûrement pas, répondit-elle. D'abord tes parents sont le genre à avoir des économies, et en plus, quand on est au chômage, on touche des allocations.

— Comment tu sais ?

— Depuis que je connais mon père, il a toujours été au chômage. Dès que les Assedic en ont marre de lui filer des sous, il retravaille un peu et hop, c'est reparti. C'est une combine qu'il a trouvée pour se la couler douce. Plus paresseux que lui, tu meurs.

— Alors tu veux dire que mon père non seulement n'est plus obligé d'aller au travail, mais que, en plus, il va être payé pour rester à la maison ?

— Exactement. C'est pour ça que je ne vois pas le rapport avec les vacances de ski.

— Moi je le vois, dis-je après avoir un peu réfléchi. C'est typique des parents. Etre renvoyé de son travail, quoi que tu en dises, ce n'est pas une très bonne nouvelle, parce que même si ça signifie qu'on va se la couler douce à la maison, ça veut aussi dire qu'on n'a pas fait ce qu'il fallait, ou qu'on n'est pas comme il faut. Par exemple, mon père, c'est parce qu'il est trop gros qu'ils l'ont licencié.

— J'te crois pas, dit Johana en riant.

— Moi non plus, si tu veux savoir, je ne le crois pas, mais il paraît que c'est vrai. Enfin, peu importe. Ce qui compte, c'est que c'est une mauvaise nouvelle. C'est comme quand on se fait renvoyer du lycée, c'est sympa, mais c'est mauvais signe ; et puis on pense à tous les autres qui continuent d'aller en cours pendant ce temps-là et tout à coup on a l'impression qu'aller au lycée c'est ce qu'il y a de plus génial sur terre…

— Bon alors, dit Johana impatiente, t'accouches ? Je vois toujours pas où tu veux en venir.

— Je veux en venir à la loi de l'emmerdement maximum, dis-je très fière de moi.

— Qu'est-ce que c'est que ce truc ? dit Johana, dont – ô miracle ! – j'avais réussi à éveiller la curiosité.

— C'est un truc qu'ont inventé mes parents, dis-je. Ça marche comme ça: quand il y a une mauvaise nouvelle, au lieu d'essayer d'oublier en allant au cinéma ou en faisant un bon goûter des familles, ou alors d'arranger ça en partant aux sports d'hiver par exemple, ils ajoutent une autre, voire plusieurs autres mauvaises nouvelles à la première. Ça revient à dire: «Puisque ça ne va pas, arrangeons-nous pour que ça aille encore plus mal.»

— T'es sûre de ça? demanda Johana.

— Totalement sûre, dis-je. C'est vraiment typique de mes parents?

— Je veux pas te vexer, dit-elle, mais je crois que tes parents ne sont pas très nets.

— Je veux pas te vexer, dis-je, mais ils sont pas pires que les tiens.

Je regrettai aussitôt ce que j'avais dit, parce que les parents de Johana étaient vraiment très graves. D'abord ils étaient divorcés. Ça c'était déjà assez nul de leur part, mais en plus son père oubliait une fois sur deux de prendre Johana pour le week-end et se trompait tous les ans de jour pour son anniversaire. Sa mère passait trois mois sur douze dans un hôpital psychiatrique parce qu'elle était maniaco-dépressive et le reste du temps, elle se tenait debout sur sa balance parce qu'elle était obsédée par ses bourrelets.

— Oh, laisse béton, dit Johana. On va pas commencer à se disputer à cause de nos parents. Ils en valent vraiment pas le coup.

— T'as raison. Qu'est-ce que tu fais aujourd'hui?

— Rien, dit-elle. Rien de spécial. Si tu veux on peut aller faire un tour à Galaxie.

— O.K., parfait, on se retrouve en face du Mac Do à deux heures et demie, d'accord?

— D'ac-o-dac, dit Johana. A plus.

Tout roulait comme sur des roulettes. Les parents étaient trop occupés à faire des comptes, à se lamenter, à se disputer et à se faire du chantage au suicide pour faire attention à moi. Je pouvais donc passer l'après-midi à Galaxie avec Johana sans entendre ma mère me dire: «Je ne te comprends pas. Moi, si j'avais du temps libre dans une ville comme Paris, j'irais au musée, dans des expos, écouter des conférences. Vraiment je ne te comprends pas. » Ce n'était pourtant pas compliqué de comprendre que la peinture c'est beau mais que les musée ça fait mal au dos, que les expos, c'est pareil et même pire quand par exemple c'est une expo sur des fragments de vases chinois du trentième siècle avant Mao Tsé-Toung, parce que là, en plus du mal au dos, c'est moche et ennuyeux. Ce n'était pas non plus très compliqué de comprendre que lorsqu'on va en cours six jours sur sept, on n'a pas envie de passer ses vacances enfermé dans une salle à écouter un vieux croûton, ou pire, un jeune croûton, vous parler du langage des orteils chez les Papous du sud. Conclusion, soit ma mère avait un cerveau sous-développé, soit elle ne faisait aucun effort, soit elle comprenait tout ça très bien mais continuait de le dire rien que pour m'embêter. Je n'ai pas besoin de vous dire laquelle de ces trois hypothèses me semblait la plus juste. Peu importe d'ailleurs, car pendant ces vacances de Noël les rengaines maternelles étaient rangées dans le placard à balai avec les vieux torchons pleins de trous qu'elle gardait quand même parce qu'on ne sait jamais. J'étais libre en somme, libre de dilapider ma belle jeunesse devant les vitrines, de m'abrutir devant la télé, de ne faire fonctionner mes neurones qu'à un millième de leur capacité. C'est du moins ce que je croyais, jusqu'à ce que Judith, dont j'avais une fois de plus oublié l'existence, se rappelât à moi.

— Maman a dit que tu devais t'occuper de moi aujourd'hui, dit-elle en entrant dans le salon alors que je raccrochais le téléphone. Elle a dit que comme elle est débordée et que tout va très mal, tu serais comme une deuxième maman pour moi.

Judith avait l'air très dubitatif en répétant les paroles de ma mère. Elle savait bien que je n'étais pas le genre à devenir une deuxième maman rien que pour ses beaux yeux. Je pensai un instant à appeler le numéro vert d'Enfance martyre pour leur expliquer que ma mère se déchargeait sur moi de ses responsabilités parce qu'elle était incapable d'assumer sa fonction et que je sentais que ça allait me traumatiser psychologiquement. J'y renonçai en pensant que tant qu'on n'était pas battu, on n'avait qu'à la fermer. Ce que la vie pouvait être injuste parfois!

Comment veux-tu que je sois ta deuxième maman? demandai-je à Judith. Je ne sais pas du tout comment on fait. Je ne fais rien comme une maman : je ne mange pas le gras de la viande en disant «c'est le meilleur», je ne sais pas défaire les nœuds en cinq secondes, je ne lis pas dans les pensées, je ne trouve pas toujours qu'il fait froid et qu'il faut mettre un maillot de corps, je n'ai pas peur que tu te fasses écraser dès que tu sors dans la rue.. et tout ça quoi.

— C'est pas grave, dit Judith qui était absolument convaincue que je serais une maman nulle. C'est pas ça qu'elle a voulu dire, maman.

— Ah bon? dis-je sans oser imaginer ce qui m'attendait. Et qu'est-ce qu'elle a voulu dire alors?

— Elle a voulu dire, poursuivit Judith qui, malheureusement pour moi, était loin d'être bête, que tu dois m'emmener partout avec toi pour que je reste pas toute seule.

— Mais tu as des amis, dis-je me sachant perdue d'avance. Tu as Camel, tu n'as qu'à aller jouer dans son immeuble!

— Maman a dit non. Elle a dit qu'elle ne veut pas que sous prétexte qu'elle peut pas s'occuper de moi, je me retrouve perdue et abandonnée et que c'est toi qui dois me garder.

La sentence était tombée, j'allais devoir traîner Judith à Galaxie, rester une heure dans le magasin de jouets au lieu d'aller voir les chaussures chez Charles Dane, lui payer une glace et ne pas boire de Coca de peur qu'elle n'aille le cafter à ma mère et surtout j'allais devoir parler en code avec Johana. Judith ne pouvait pas être mise au courant de l'affaire Paulus Stern, ni d'aucune autre affaire d'ailleurs. Il était donc urgent que je rappelle Johana pour convenir d'un langage secret avec elle.

— Allô, Johana?

— Oui.

— C'est Julia. Ça va?

— Ouais, et toi? T'as oublié de me dire quelque chose?

— Ouais. C'est la galère totale. Judith tape l'incrust, on va se la traîner tout l'après-midi.

— Et alors? Moi j'aime bien Judith.

— C'est facile de l'aimer quand c'est pas ta sœur. Mais quand c'est ta sœur et que tu sais

qu'elle risque de tout cafter à ta mère, c'est nette-
ment plus dur.

— Elle cafte souvent?

— Non, jamais, mais je me méfie d'elle. Elle
cache peut-être son jeu en attendant de tomber
sur un truc vraiment top secret.

— Tu crois?

— J'en sais rien. Mais je veux pas prendre de
risque. Alors cet aprèm:

Paulus Stern = Mitterrand,

amour ou aimer = peinture ou peindre,

embrasser = balayer et… je crois que ça suffi-
ra. Qu'est-ce que t'en penses?

— Attends, je répète:

Paulus = Mitterrand,

amour = peinture,

aimer = peindre,

embrasser = balayer. Ça suffit largement parce que je ne pourrai pas en retenir plus que ça.

— Très bien. Tu n'oublieras pas, hein?

— Non, t'inquiète, je vais me faire une anti-
sèche.

Je raccrochai en me demandant comment on
allait réussir à tenir une conversation avec seule-

ment trois mots, mais je me rassurai en me disant que j'avais vraiment trouvé les mots clés et que décidément j'avais un esprit de synthèse du tonnerre.

J'entrai dans la chambre de Judith résolue à lui faire payer très cher le fait d'avoir voulu me transformer en deuxième maman.

— Alors, Judith, qu'est-ce que tu fabriques, dis-je d'une voix pressée, tu n'as même pas encore mis tes chaussures. Je te rappelle que nous partons dans trois heures!

— Mais, dit-elle en levant les yeux de sa poupée chauve avec des boutons dessinés au feutre sur la figure, trois heures, c'est très long. J'ai cent mille fois le temps de mettre mes chaussures.

— On ne discute pas, répliquai-je d'un ton dont je décidais immédiatement de me souvenir toute ma vie pour l'utiliser plus tard avec mes propres enfants. Et d'abord est-ce que tu as mis un maillot de corps?

Je n'en revenais pas moi-même. Si ça ce n'était pas de l'instinct maternel, la bonne question au bon moment, le piège, pire que l'interro surprise, l'inspection surprise des desssous, avec petit cours de morale à l'appui et surtout l'expression forte à ne pas oublier: «Tout ça, ma chérie, c'est pour ton bien. Si tu crois que ça m'amuse de faire la police.» En y réfléchissant, d'ailleurs, je me rendis compte que les adultes étaient de sacrés menteurs, parce que faire la police était vraiment très marrant et que j'étais sûre – à présent que j'avais essayé moi-même – qu'ils adoraient tous autant qu'ils étaient jouer les flics et prendre les enfants en flagrant délit. Je goûtais enfin l'ivresse du pouvoir. Grâce à Judith j'étais mieux qu'une grande fille, j'étais quasi une femme. Je dis quasi parce que dire que j'étais une femme me ferait quand même tout bizarre.

— Oui, dit Judith, en rougissant, j'ai mis un maillot de corps.

— Pourquoi tu rougis alors? dis-je en m'approchant sadiquement pour soulever son pull-over et vérifier qu'elle disait bien la vérité.

— Parce que, répondit Judith.

— C'est pas une réponse, coupai-je, et tu le sais très bien. Et j'aime mieux te signaler qu'on ne va pas se taper une série de pourquoi-parce que aujourd'hui. Ça c'était bon quand j'étais ta sœur. Maintenant que je suis ta mère, tu dois me dire la vérité.

Je me jetai sur elle, l'attrapai par la taille en essayant de l'empêcher de se tortiller, la plaquai au sol, m'asssis sur elle en lui bloquant les bras avec les genoux et soulevai son pull pour voir ce qu'elle avait en dessous. Elle se mit à hurler et à faire semblant de pleurer.

— Ah! Je d'y brends! dis-je avec un accent allemand, histoire de paraître encore plus féroce. Du m'as biqué bon baillot de gorps bréféré!

J'étais sur le point de lui infliger une torture horrible, comme par exemple chatouilles sur les côtes jusqu'à mal au ventre de rire, lorsque ma mère, notre mère, la vraie, entra dans la chambre.

— Qu'est-ce qui se passe ici? dit-elle d'une voix toute molle, comme si elle n'avait plus la force de crier.

— C'est Julia qui... commença Judith en chouinant.

— Même pas vrai, dis-je sans la laisser terminer. Judith m'a piqué mon maillot de corps et...

Je m'arrêtai là en voyant que des larmes commençaient à couler sur les joues de ma mère. Elle se mit à parler, tout doucement, avec des hoquets et des trémolos (ou devrais-je dire «trémoli»?) dignes d'une actrice de cinéma américain.

– Julia, qu'est-ce que ça peut bien te faire que Judith mette un de tes maillots de corps? Tu détestes les maillots de corps. Je dois me battre chaque matin avec toi pour que tu acceptes d'en mettre.

C'était bien la première fois que j'entendais ma mère utiliser un argument logique et rationnel pour trancher dans une dispute entre ma sœur et moi. D'habitude c'était toujours: «Elle est plus petite, tu dois donner l'exemple, elle ne peut pas comprendre, mais toi tu dois être raisonnable, elle n'a pas fait exprès, mais qu'est-ce que j'ai fait au bon Dieu, tu n'as pas de cœur, viens dans mes bras ma petite chérie, non, pas toi, Judith.» Pour une fois, elle avait totalement raison. J'aurais dû remercier Judith à genoux de m'avoir piqué un maillot de corps, j'aurais même dû lui proposer de lui céder gratis tous les autres. Peut-être pas gratis, parce que c'était dommage et que ça lui aurait donné une fausse idée de la vie, alors disons, le lot de sept pour dix francs. Enfin, peut importe, ce qui comptait vraiment à cet instant, c'est que ma mère, pour la première fois de sa vie, avait réagi comme une personne normale. Je la regardai stupéfaite. Des larmes de plus en plus grosses coulaient de ses yeux. J'étais gênée. Judith se jeta à ses pieds, s'enroula autour de ses jambes comme un mini-cobra et se mit à crier :

— Maman je t'aime, maman je t'aime.

Quelle indécence ! On se serait cru dans *La petite maison dans la prairie*. Les mélodrames d'amour filial c'était pas vraiment le genre de la famille. Ma mère n'était pas une personne qui vous donnait envie de vous jeter sur elle pour lui faire des câlins sauvages. Même Judith, qui était sa chouchoute, avec au moins quinze longueurs d'avance sur moi, et qui, en plus, était assez gnan-gnan de nature, ne se permettait pas des épanchements de ce genre d'habitude. Quant à moi, voir ma mère pleurer me donnait plutôt envie de m'enfuir en courant que de la serrer dans mes bras. J'avais honte, honte pour elle et honte pour moi et je lui en voulais horriblement. Une mère n'a pas le droit de faire ça à ses enfants, elle n'a pas le droit de se mettre à pleurer, comme ça, tout doucement en disant des trucs sensés pour la première fois de sa vie. C'était des trucs à vous donner envie de rentrer sous terre et ça vous faisait vous sentir un petit rien du tout. Si ma mère doit pleurer, autant que je n'existe pas me dis-je, essayant de remonter mentalement la bobine de souvenirs qui allait de maintenant jusqu'au moment de ma naissance. Je m'imaginai, repassant le film en arrière et pouvant m'écrier, juste au moment où j'allais sortir de son ventre : «Arrêtez tout, ce n'est pas la peine que je naisse si c'est pour voir ma mère pleurer des larmes sincères quand j'aurai quatorze ans.» Comme faire une chose pareille était impossible, je décidai de faire comme si je n'étais pas là jusqu'à ce que l'orage passe.

— Julia, dit ma mère après s'être calmée, je veux que tu t'occupes de ta sœur pendant ces vacances, et j'espère que tu sauras te montrer responsable. Je sais que tu es tout à fait capable de me remplacer, alors sois à la hauteur, s'il te plaît.

Je n'osai pas la regarder en face, parce que j'étais à la fois très fière et très gênée, mais je vis, dans le coin en haut à droite de mon regard baissé qu'elle avait un très beau visage pâle et sérieux. Je me dis que si j'avais eu un visage pareil, tout aurait été facile dans la vie, et je me dis aussi que j'allais essayer de faire mon possible pour ne pas la décevoir.

— Bon, Judith, dis-je une fois que ma mère nous eut laissées seules, on fait la paix?

— Oui-non, dit Judith sans me regarder, les yeux vissés à sa poupée chauve.

— Qu'est-ce que c'est que cette réponse? dis-je sans m'énerver. Et arrête de regarder Pamela comme ça, c'est sinistre! ajoutai-je en m'énervant un petit peu.

— Elle s'appelle pas Pamela, dit Judith en faisant non de la tête, sans quitter des yeux l'horrible chose qui lui servait de poupée.

— Ah bon, dis-je étonnée parce que cette poupée s'était toujours appelée Pamela, j'en étais sûre. Et comment elle s'appelle alors?

— Elle s'appelle Tu pues, dit Judith très fière d'elle-même en levant vers moi un petit menton pointu et vainqueur.

Julia, calme-toi, cette petite fille est sous le choc, c'est la première fois qu'elle voyait sa mère pleurer, elle fait juste une petite régression, tout est normal, me dis-je pour essayer de garder mon sang- froid.

— C'est un très joli nom, dis-je. C'est quoi comme origine, chinois?

— Tu pues, répéta Judith, insensible à mon humour.

— Bon, dis-je, résignée. Quand je ne puerai plus, on pourra peut-être aller à Galaxie en-semble.

4

Déjà trois heures moins le quart et toujours pas de Johana. Les portes du Mac Do n'arrêtaient pas de s'ouvrir et de se refermer, laissant s'échapper des effluves de frites et de hamburgers. Je commençais à avoir froid et envie de vomir. Judith n'avait aucun de ces soucis et n'en avait pas d'autres non plus car elle s'était prise d'amitié pour un moineau sautillant sur le trottoir et lui parlait depuis dix minutes, accroupie par terre, insensible aux flots de gens qui descendaient du 27 pour s'engouffrer directement dans le McDonald's. Elle lui disait: «cuicui cuicui le petit cuicui» d'une voix suraiguë, et le pire, c'est que le moineau avait l'air d'apprécier. Il n'avait pas peur et la regardait droit dans les yeux en hochant et en secouant constamment la tête, l'air de dire : «oui-bien-sûr, mais-quand-même, oui-bien-sûr, mais-quand-même».

— Judith, dis-je, sans réussir à lui faire tourner la tête.

— Judith! répétai-je un peu plus sévèrement, mais toujours sans succès.

— Judith, je m'en vais, dis-je enfin en commençant à marcher.

— Et Johana? demanda Judith sans relever la tête.

— Johana est en retard et j'en ai marre d'attendre dans le froid et l'odeur de frites pourries, dis-je assez fort, sans me rendre compte que j'avais l'air complètement ridicule aux yeux des gens dans la rue, qui ne voyaient pas Judith assise sur le trottoir en train de causer à son moineau, et qui devaient croire que je parlais toute seule. Ils devaient se dire que j'étais folle, comme une clocharde qui se met à engueuler son filet à provisions troué comme du poisson pourri parce qu'elle n'a personne d'autre à qui parler. Je rougis en croisant quelques regards compatissants et gênés et me dirigeai vers Galaxie, prête à abandonner Judith aux dangers sournois de toute grande métropole, plutôt que de continuer à me ridiculiser ainsi.

Mais on ne se débarrasse pas d'une petite sœur aussi facilement que ça. A peine avais-je fait dix mètres que je sentis la petite main de Judith se glisser dans la poche de ma veste.

— Tu sais, dit-elle, comme si de rien n'était, j'ai dompté un moineau!

— Génial, dis-je en m'imaginant Judith entrer à grands roulements de tambour dans une cage en fer blindé pour affronter, devant un public de dix mille personnes, l'horrible, le terrifiant, l'atroce moineau de dix grammes cinq, et tout ça sans même l'aide d'un fouet.

— Pourquoi on n'attend pas Johana, dis? me demanda Judith, qui devait être à la fois insensible au froid et aux mauvaises odeurs.

— Parce qu'elle a dû mal comprendre le rendez-vous. Elle doit nous attendre à l'intérieur de Galaxie, ou à l'entrée du Printemps. On va la chercher.

C'était tout ce qui me manquait, devoir passer un après-midi seule avec Judith parce que ma meilleure amie était bouchée, ou distraite, ou les deux.

Il y avait un monde fou dans le centre commercial, à cause du froid et aussi à cause des cadeaux de Noël. Je trouvais que tous les gens avaient l'air heureux, heureux à un point qui me dégoûtait. Je marchais vite, cherchant des yeux Johana sans espoir de la trouver. Judith m'avait pris la main et se laissait traîner un peu en arrière, s'arrêtant net dès qu'il y avait l'ombre d'un jouet dans une vitrine. Je devais la faire avancer de force en tirant sur son bras tendu et en faisant glisser les semelles lisses de ses kickers sur les dalles en faux marbre.

— Eh, me dit-elle, c'est comme le tire-fesses au ski! Moi je fais rien du tout que de garder les pieds bien droits et toi tu tires.

C'en était trop, je lâchai brutalement la main de Judith qui, déséquilibrée, tomba d'un coup sec sur son derrière. Elle se mit immédiatement à pleurer. En fait elle ne pleurait pas, elle hurlait et tout le monde nous regardait. Ils doivent penser que je suis sa mère, me dis-je, que je l'ai eue très jeune et que je ne sais pas comment m'en occuper. Ils doivent se dire: «fille-mère, c'est dur, c'est très dur». J'eus envie de disparaître mais, malgré tout mes efforts de concentration, mon corps resta à la même place, debout en face de Judith, assise par terre en train de hurler et de faire pitié à tout le monde. C'est à ce moment-là que j'aperçus Paulus Stern, quelque part dans la foule. Je n'étais pas très sûre que c'était lui, je l'avais vu comme on voit parfois filer une petite souris au coin de son œil, ma mère appelle ça de l'«astigmatie». Je tournai la tête pour mieux me rendre compte, mais il avait disparu, ou alors il n'avait jamais été là, je l'avais imaginé. Mon souffle, qui s'était coupé net, reprit à peu près normalement. Je n'allais pas rencontrer Paulus Stern à Galaxie avec Judith en larmes à mes pieds et moi pas coiffée, mal fringuée et tout. Et d'ailleurs c'était complètement logique, parce que Paulus n'était pas le genre de type à traîner à Galaxie pendant les vacances. Lui, quand il faisait les magasins, ça devait être aux Champs-Elysées ou un truc du genre, et quand il était en vacances, il devait aller à Megève ou en Martinique, je ne sais pas moi, je n'avais jamais connu de gens parfaits avant lui. J'étais en train de me dire ouf et de me demander comment négocier une reprise des relations diplomatiques avec Judith lorsque, juste devant moi, sorti du sol ou tombé du plafond, apparut Paulus Stern en personne, celui qui était censé faire ses courses aux Champs-Elysées de Megève. Il n'y avait que ma sœur entre lui et moi. Il me regardait, je le regardais, et Judith, sentant qu'il y avait du nouveau et qu'elle n'était plus le centre du monde, s'arrêta de pleurer, se releva, me prit la main et dit «bonjour, monsieur» à Paulus d'un ton très poli.

C'est vrai que Paulus avait l'air d'un monsieur. Il avait une veste, une chemise blanche et une cravate noire, comme s'il allait à un enterrement.

— Bonjour mademoiselle, lui répondit-il en lui tendant la main.

Ils se serrèrent la main. Je fus très jalouse, tellement jalouse que j'en eus honte parce que c'était vraiment ridicule d'être jalouse de Judith. Paulus sourit à Judith, qui lui sourit en retour. J'eus envie de dire: «Si je vous gêne, je peux partir», mais une boule au fond de ma gorge m'empêchait de parler.

Paulus leva les yeux vers moi et je vis que lui aussi avait une boule dans la gorge. Enfin j'exagère, parce que ça ne se voyait pas à l'œil nu, mais on le sentait. Heureusement que Judith était là pour faire la conversation.

— Vous êtes qui? demanda-t-elle, ce qui était un très bon début, en tout cas meilleur que tout ce à quoi j'aurais pu penser moi-même.

— Je suis dans la même classe que Julia, dit-il, et toi, qui tu es?

— Moi, eh ben moi, je suis Judith, je suis dans la même classe que Camel.

— C'est ma sœur, dis-je sans oser regarder Paulus. Elle a six ans, ajoutai-je pour alimenter la conversation.

— Six et demi, rectifia Judith, presque sept. Mon anniversaire, c'est dans cent douze jours, huit heures – elle s'arrêta pour regarder ma montre – dix minutes et quelques secondes.

Vraiment passionnante cette conversation. Tellement passionnante que dès que Judith referma la bouche, nous nous retrouvâmes dans un silence d'autant plus atroce qu'il était surpeuplé du bruit que faisait le reste du monde dans les couloirs de Galaxie. Je me mis à examiner le bout de mes bottes, celles que ma mère m'avait offertes, comme si j'avais tout à coup décidé de devenir cordonnier et que l'observation scientifique des chaussures était le premier pas d'un long apprentissage. Histoire de diversifier mon sujet d'étude, je glissai lentement vers les chaussures de Paulus. C'est assez rare, quand on y pense, de regarder quelqu'un dans les chaussures, et ça me fit un drôle d'effet. C'était légèrement indiscret, surtout comme ça, sans prévenir, devant tout le monde. Ses chaussures étaient noires, à lacets, des chaussures d'adulte, ou alors d'enterrement.

— Tu vas à un enterrement? dis-je après avoir constaté qu'il avait la tenue appropriée de la tête aux pieds.

Juste au moment où je refermais la bouche je me rendis compte que ma question était très gravement nulle. En supposant qu'il dise oui, c'était l'horreur, parce qu'on n'est pas censé parler comme ça à la légère de la mort, surtout si c'était ses parents ou quelqu'un de sa famille. S'il disait non, j'aurais l'air très bête, l'air de la fille qui n'a jamais vu quelqu'un en chemise et en cravate, l'air de la fille qui débarque de sa campagne et qui connaît rien à la mode, ni aux bonnes manières, ni aux hommes, ni aux chaussures noires à lacets.

– Oui, répondit-il.

Aïe, aïe, aïe, mon Dieu, faites-moi disparaître immédiatement, désintégrez-moi d'un coup de rayon laser dans le nez, écrabouillez-moi sous votre grande botte, ou alors soufflez-moi une réponse intelligente, pensai-je en repassant dans ma tête en accéléré tous les films dans lesquels un personnage annonçait à un autre que sa mère, son mari, son frère ou son chien était mort et où l'autre personnage lui répondait avec un sourire grimaçant et une pression de la main sur l'épaule, virile ou tendre – selon le sexe du personnage en question : «I'm sorry.» Mais je ne pouvais pas dire une chose pareille, je n'étais pas du tout assez sûre de moi pour avoir une parole aussi mûre et rassurante, et en plus ç'aurait fait idiot de se mettre tout à coup à parler anglais. Tout ce que j'avais envie de dire, c'était : «Au secours, quelle horreur, pourvu que les gens que j'aime ne meurent jamais!» Heureusement, Paulus me sauva en disant:

– C'est ma grand-mère qui est morte. Je suis très triste, mais ça va quand même. C'est pas la peine d'être gênée ni rien. Elle était très vieille et elle n'a pas souffert, comme on dit.

Je levai les yeux vers lui dans l'espoir de pouvoir lui signifier mon immense gratitude sans avoir à ouvrir la bouche. Quand j'arrivai à la hauteur de son visage, ça me fit un grand FOUF dans le plexus solaire. Il ne pleurait pas, il n'avait pas l'air spécialement pathétique non plus. Je ne sais pas ce qu'il avait, c'était sa façon d'être là qui ne ressemblait à rien, et cette façon aussi de sentir que j'étais gênée et de ne pas profiter de la situation qui me donna un grand coup dans la poitrine et me coupa le souffle. Décidément, si cette aventure avec Paulus Stern devait continuer, j'allais pouvoir m'inscrire aux championnats du monde d'apnée.

– Je n'aimerais pas que ma grand-mère meure, dis-je sans réfléchir, parce que c'était la première chose qui me venait à l'esprit et qu'il fallait absolument que je dise quelque chose pour recommencer à respirer.

— Tu n'en as qu'une? demanda Paulus.

— Ben oui, dis-je, parce que je n'avais jamais imaginé que j'aurais pu en avoir deux. L'autre je ne l'ai pas connue. Elle est morte il y a très longtemps, avant que je naisse.

— Moi il m'en reste une, dit Paulus, mais je ne l'aime pas.

— Comment tu peux dire ça? demandai-je en me haïssant aussitôt d'être aussi gnan-gnan.

— C'est comme ça. C'est une vraie salope.

«Salope» était un très gros mot pour qualifier une grand-mère dans un centre commercial, en parlant à une fille qu'on ne connaissait pas, et tout ça, en plus, devant la sœur de la fille en question, qui n'avait pas sept ans. D'ailleurs Judith, qui était très sensible aux gros mots, éclata de rire, se plia en deux, fléchit les genoux, pencha la tête en avant et retomba par terre. C'était une grande pro du fou rire. Paulus rit en la regardant et moi je ris de le voir rire. On avait l'air tout à coup aussi heureux que les autres clients de Galaxie, et même plus. On avait carrément l'air bête. On riait tellement qu'on en avait les larmes aux yeux et dès que Judith sentait l'intensité d'un des rires faiblir, elle répétait dans sa barbe entre deux hoquets «une vraie salope», et ça nous faisait repartir de plus belle. Au bout d'un moment les éclats finirent quand même par s'espacer et il n'y eut plus que quelques petits gloussements, comme les derniers pétards à la fin d'un feu d'artifice. Judith s'allongea par terre pour reprendre son souffle, et je m'imaginai un instant dans quel état ça aurait mis ma mère de la voir faire ça. «Judith, debout tout de suite! C'est plein de microbes par terre, c'est dégoûtant!» Je savais qu'en bonne mère intérimaire j'aurais dû dire quelque chose d'à peu près équivalent, mais je n'en avais aucune envie; d'abord parce que les dalles en faux marbre brillaient de mille feux et avaient l'air aussi propres que le carrelage de la salle de bain à la maison, et puis parce que Judith était vraiment mignonne, allongée sur le sol, les bras en croix et les joues rouges, avec son sourire indécollable et le souffle court, et enfin parce que ce qui m'intéressait à cet instant précis, ce n'était pas du tout l'hygiène familiale, mais la personne que j'avais en face de moi, Paulus Stern en chair et en os que je n'arrêtais pas de regarder et qui n'arrêtait pas de me regarder. Mon cœur battait très vite et j'avais envie de sauter partout, de me faire rebondir par terre sur la tête, de donner des coups de pied dans les murs, de faire un trou dans le plafond et de rouler en boule à vitesse supersonique en faisant le tour du pâté de maisons en moins d'une seconde. J'étais comme le loup dans les dessins animés de Tex Avery et ça me troublait parce que j'aurais dû ressembler à la petite poule. Je n'y pouvais rien si j'étais plus dynamique que romantique.

Si on avait été dans un film américain, tout autour de nous se serait arrêté, un halo de lumière serait tombé sur nos têtes, nous nous serions rapprochés l'un de l'autre sans marcher, comme portés sur un nuage, et nous nous serions embrassés. Mais ça ne se passa pas du tout comme ça. C'était bien normal d'ailleurs, parce que si on avait été dans un film américain, j'aurais dit « I'm sorry » quand Paulus m'avait annoncé qu'il allait à un enterrement, il ne m'aurait donc jamais parlé de son autre grand-mère, on n'aurait pas ri, et on ne se serait pas retrouvés comme ça, l'un face à l'autre à se regarder comme deux merlans frits. Et puis la vie en général, comme on le sait, ne ressemble jamais aux films américains. Je n'étais pas grande, blonde, plantureuse, élégante, passionnée et secrète. J'étais même tout le contraire de ça, et je ne peux pas dire non plus que j'avais envie d'embrasser Paulus; pas du tout, je n'avais même pas envie de lui prendre la main, j'avais juste envie de rester là, comme ça, à le regarder me regarder jusqu'à... Jusqu'à rien. C'était un peu gênant quand même, surtout devant Judith et aussi à cause de toutes les choses qu'il y avait déjà entre nous sans que nous nous soyons vraiment parlé: le vomi, l'amour, «Les Colchiques».

— Bon, je dois y aller, maintenant, dit Paulus en baissant les yeux.

— Bon courage, lui dis-je.

Il releva la tête et me sourit d'un sourire qui mit momentanément fin à mes jours. A moitié morte, je le regardai s'éloigner. Au bout de quelques pas il se retourna et dit «Au revoir, mademoiselle» en regardant Judith. Judith enroula sa jupe écossaise autour de son doigt, l'entortilla langoureusement jusqu'à faire remonter le tissu à la limite de ses fesses, pencha la tête sur le côté tout en la rentrant dans ses épaules, et lui fit un petit sourire irrésistible.

J'avais peur qu'elle se mette à me poser des tas de questions dès qu'il aurait disparu : « C'est ton amoureux ? Il est gentil, hein ? T'as vu, il m'a appelée mademoiselle ? » mais au lieu de ça, elle me dit simplement :

— Si tu me payes une glace, je dis rien à maman.

Je tombai des nues en chute libre. Judith, qui, je le rappelle, n'avait pas sept ans, me proposait tout bonnement de la corrompre. Et ça n'était pas tout, non seulement elle était prête à marchander son silence, mais en plus, elle avait senti qu'il y avait quelque chose de secret, de délicat, d'interdit dans ce qui venait de se passer. Que pouvait-elle bien savoir de l'amour à son âge ? D'ailleurs il ne s'était rien passé avec Paulus, moins que rien même, et pourtant, elle avait raison, je n'avais pas envie que ma mère sache quoi que ce soit de cette rencontre.

— Depuis quand tu es devenue une cafteuse ?

lui demandai-je dans l'espoir de lui faire honte.

— Je suis pas une cafteuse, dit-elle. Une cafteuse, c'est quelqu'un qui raconte les bêtises que
font les autres. Toi, tu n'as pas fait de bêtises.

Elle me regarda avec ses grands yeux ronds et
son air de je-suis-une-petite-fille-très-gentille-
moi. J'eus envie de lui pincer le nez très fort, jusqu'à la faire pleurer. Parfois, en temps de guerre
sœuricide, j'avais recours à cette botte secrète.
L'intérêt principal de cette torture était qu'elle
avait quelque chose de ridicule. Ça faisait vraiment mal et Judith pleurait souvent très fort, mais
quand ma mère déboulait pour savoir ce qui
s'était passé, Judith lui disait: «Julia m'a pincé le
nez!» et ça faisait rire ma mère, parce que pincer
le nez d'une petite fille est un geste drôle par es-
sence, en tout cas aux yeux des adultes, qui mar-
quent pourtant une certaine tendance à lui préfé-
rer le pinçage de joues. Je me retins, me disant
qu'on s'était déjà assez fait remarquer comme ça
et, dans un élan de lâcheté légendaire, je dis:

— Viens, je vais te payer une glace. Mais ne
crois pas que c'est pour que tu ne caftes pas. Je
m'en fiche, tu peux lui dire tout ce que tu veux à

maman. Je te paye une glace juste parce que moi aussi j'ai envie d'une glace et que ça tombe bien, d'accord?

— D'accord, dit Judith, qui, j'en étais sûre, n'avait retenu que le mot «glace» dans tout ce que je venais de lui dire.

Nous descendîmes au sous-sol, niveau réservé à l'alimentation. En passant devant Champion, j'aperçus Johana. Elle était plantée à la sortie des caisses, avec son sac à dos sur l'épaule et ses cheveux lâchés rejetés en arrière. Elle fumait une cigarette, avec l'air de dire: non, non, je n'ai pas quatorze ans, c'est une erreur, je suis une femme, d'ailleurs ça se voit, non? Et je n'attends pas du tout ma copine Julia devant Champion comme une imbécile alors qu'on avait rendez-vous devant le Mac Do, je suis là comme ça, par hasard, j'observe les gens, c'est tout. Elle était si belle, elle avait l'air tellement bien dans sa peau, si prête à rencontrer un prince charmant avec longs cils, blouson en jean et cylomoteur rétro que j'hésitai un instant à aller vers elle. Je me dis que finalement ça ne pouvait pas être ma meilleure amie. Nous ne faisions pas partie du même monde. Moi j'appartenais encore à l'univers des enfants-qui-partent-en-vacances-avec-leur-parents-et-qui-aiment-ça, alors qu'elle était déjà inscrite au club des jeunes-filles-indépendantes-cherchent-poète-maudit-de-préférence-bien-gaulé. J'allais me cacher derrière l'escalator, lorsqu'elle m'aperçut. Aussitôt, elle se métamorphosa, elle écrasa sa cigarette, fit un grand sourire, et se mit à courir vers moi en rebondissant sur ses grandes jambes comme un gamin et en criant «salut vieille branche!» Tout à coup elle n'avait pas l'air beaucoup plus vieille que Judith.

— Ça va, chérie? dit-elle en m'embrassant et en me faisant un clin d'œil entendu.

— Chérie, toi même, lui dis-je en serrant les dents et en lui désignant du coin de l'iris, Judith, pendue à ma main.

— Bonjour Judith, lui dit-elle. Tu sais que tu es très belle aujourd'hui.

— Oui, dit Judith. Je sais. On a rencontré un garçon de votre classe et il m'a appelée mademoiselle, alors ça veut sûrement dire que je lui ai plu.

— Mitterrand? me demanda Johana en levant les yeux vers moi.

— Oui, oui, dis-je, Mitterrand.

— Ah bon, dit Judith en levant elle aussi les yeux vers moi. Il s'appelle Mitterrand? Comme le Mitterrand de la télé?

— Oui, Judith, dis-je. Comme le Mitterrand de la télé.

— C'est peut-être son fils, dit Judith d'une voix rêveuse, s'imaginant déjà de l'autre côté de l'écran, assise sur les genoux du vieux monsieur qui ressemblait à Kermite la grenouille, et disant «bonjour papa, bonjour maman, bonjour Julia, bonjour Camel» avant de débiter sous une perruque de boucles blondes le programme de la soirée. Ce que Judith préférait à la télé, c'était les speakerines.

— Toi aussi, Johana, tu es très belle, lui dis-je, à la fois parce que c'était vrai et aussi parce que j'avais envie de changer de sujet.

Tu rigoles, dit Johana. J'ai les cheveux crados, je suis sapée n'importe comment, et je te rappelle, au cas où tu l'aurais oublié, que c'est toi que Mitterrand peint.

— Ne parlons pas de moi, s'il te plaît, lui dis-je. Je sens que ça va me donner le cafard.

— Mais pourquoi? demanda Johana qui n'était pas seulement très belle ce jour-là, mais aussi beaucoup plus éveillée que d'habitude. Il ne t'a pas balayée?

Judith, après avoir regardé Johana d'un air de dire « ce n'est plus la peine de discuter avec cette personne, elle doit être hors service » et m'avoir dévisagée dans l'attente vaine d'une réaction de ma part, lâcha ma main, prit un billet de vingt francs dans ma poche et se dirigea toute seule vers le marchand de glaces en haussant les épaules.

— Non, répondis-je à Johana, il ne m'a pas balayée.

— Tu peux parler normalement, me signala-t-elle. Judith ne nous entend pas.

— Non, je ne peux pas parler normalement, parce que ça me donne envie de vomir.

Johana me regarda jusque derrière les yeux, comme si elle essayait de déchiffrer un nouveau code que j'aurais employé sans la prévenir.

— Qu'est-ce que tu veux dire par là? demanda-t-elle enfin, désespérant de pouvoir trouver un sens à mes paroles.

— Je veux dire, avouai-je en rougissant, que prononcer les mots peinture et balayer me donne envie de vomir. Enfin, pas ces mots-là, les autres, la traduction si tu préfères.

— Amour et embrasser? demanda Johana à voix basse.

— Tu l'as dit bouffi, lui répondis-je en soupirant.

— C'est parce que tu le peins, déclara-t-elle, respectueuse de ma nausée. Si tu ne le peignais pas, ça ne te ferait ni chaud, ni froid.

— Mais je ne peux pas le peindre, dis-je en me prenant la tête dans la main. C'est impossible. Je ne suis pas comme ça. Toi oui. Moi je suis différente. Je n'avais même pas envie de le balayer. C'était autre chose. Et lui non plus il n'est pas comme les autres. Même si on avait été tous les deux tout seuls, il n'aurait pas essayé de me balayer.

— Tu crois qu'il est pédé? me demanda Johana en avalant ses mots parce que Judith revenait en courant vers nous et que ce n'était pas le genre de conversation qu'on est censé avoir devant une gamine de son âge.

— T'es décidément vraiment trop con, dis-je

à Johana avant de répondre à Judith qui me tirait par la manche comme une cinglée.

— Viens, Julia, viens, gémissait-elle. Le marchand de glaces il est fou. Moi je veux une boule au chocolat et une boule au café et lui il dit que le chocolat c'est pour les garçons et le café c'est pour les grands. Il veut me refiler vanille-framboise et moi je déteste la vanille et je déteste la framboise et en plus il a même pas de cornet, il met les boules dans des petits pots en carton et on doit manger avec une cuillère et…

— Laisse-moi faire, Judith, coupai-je afin d'échapper au torrent de paroles qui menaçait de nous engloutir toutes les trois.

Judith était capable de gémir comme ça pendant des heures, il n'y avait pas de fin à ses réclamations.

Je la pris par la main et m'avançai vers le stand du glacier en me convainquant que j'étais le dernier modèle en date de char blindé, invincible, impitoyable et meurtrier. Johana nous suivait en s'allumant une cigarette, signe qu'elle avait perdu tout intérêt pour la situation et tout espoir de me tirer les vers du nez.

Le glacier sourit en voyant Judith revenir.

— Vous allez servir immédiatement une boule de chocolat et une boule de café à cette petite fille, dis-je en lui envoyant une bombe atomique entre les deux yeux. Vous n'avez jamais entendu parler de la libération de la femme? Je vous signale que de nos jours les femmes aussi ont le droit de manger du chocolat. Quant au café, ma mère ne serait sûrement pas d'accord, mais personnellement je ne vois pas pourquoi ça serait réservé aux adultes!

Le glacier, qui, je m'en rendis compte beaucoup trop tard, devait avoir à peine cinq ans de plus que moi, secoua la tête d'un air de dire «elle est complètement tapée celle-là» et me lança, en confectionnant un petit pot à Judith.

— T'as aucun humour, ma pauvre.

Ce salaud se permettait de me tutoyer! Et ça n'était pas tout, non seulement il avait mon âge, mais en plus, comme si ça ne suffisait pas déjà à m'humilier, il était assez beau. Je me consolai en me disant qu'il devait être bête comme ses pieds et que de toute façon j'avais depuis longtemps cessé de m'intéresser aux garçons. Ce n'était pas

le cas de Johana, qui lui demanda une glace vanille-framboise, alors que, je le sais, elle a horreur des glaces, quel que soit leur parfum. Elle
s'accouda mollement sur le stand, laissa son sac
glisser de son épaule tout en se passant la main
dans les cheveux. C'était une grande profession-
nelle.

Je reçus son message cinq sur cinq et je pris la
fuite au bras de Judith, pour laisser son charme
agir tranquille. Avant de disparaître complètement de la circulation je me retournai quand
même pour dire au play-boy marchand de
glaces :

— Et je vous signale que vous n'avez aucune
raison de me tutoyer !

Parce que c'était un truc que j'avais entendu
dans un film policier ; mais il ne m'entendit pas,
complètement absorbé qu'il était par les beaux
yeux bruns de ma meilleure amie.

— On n'attend pas Johana ? demanda Judith,
une fois que nous fûmes sorties du centre commercial.

— Non, c'est pas la peine, dis-je un peu triste,
un peu en colère, un peu jalouse.

– Mais on n'est même pas allées au magasin de jouets! s'écria Judith en s'arrêtant net au milieu du trottoir comme si cette révélation devait mettre fin à toute activité psychomotrice.

– Eh non! dis-je inflexible en lui lâchant la main pour pouvoir continuer de marcher.

Je n'aurais jamais dû faire ça. Judith se mit instantanément à hurler et à fabriquer des larmes en quantité industrielle, afin de communiquer au monde entier la profondeur de son désespoir.

– Moi je voulais aller au magasin de jouets, glapit-elle entre deux hoquets à vous briser le cœur. Et moi je voulais manger une glace à l'intérieur, parce que dehors il fait trop froid. Et moi j'ai une angine et je dois pas sortir sous la pluie.

Tout le monde, absolument tout le monde avait les yeux braqués sur elle. Puis, lentement, les regards glissèrent vers moi, en signe de désapprobation et de pitié mêlées. «Encore cette fille-mère qui ne sait pas s'y prendre avec son enfant. Fille-mère c'est dur, c'est très dur», répétaient les mines des vieilles-dames-qui-en-ont-vu-d'autres et des mères-de-famille-diplômées. Alors, pour leur faire comprendre que c'était moi la victime, je me mis à pleurer aussi et à crier plus fort que Judith.

— Mais arrête un peu, dis-je en la regardant droit dans les yeux. C'est pas parce que MAMAN (j'appuyai bien fort sur le mot «maman» pour leur faire comprendre à toutes ces vieilles biques) n'est pas là qu'il faut que tu fasses sans arrêt des caprices!

Judith, qui n'avait pas l'habitude de me voir pleurer, se tut immédiatement, me prit par la main, et m'emmena en trottinant vers le feu, pour traverser la rue au plus vite et me tirer des griffes du ridicule. Nous n'échangeâmes pas un mot sur le chemin du retour.

Quand nous arrivâmes à la maison, il faisait déjà nuit. L'appartement était aussi obscur et silencieux que le tombeau de Ramsès II. Je conduisis Judith dans sa chambre et allai m'enfermer dans la mienne, sans essayer de mener l'enquête pour savoir où étaient cachés mes parents, ce qu'ils faisaient, ou s'ils s'étaient suicidés au gaz pendant notre absence. Je n'avais pas l'énergie suffisante pour affronter ma mère, que ce soit l'ancienne: hystérique, indiscrète et illogique, ou la nouvelle: calme, triste et rationnelle. Je m'allongeai sur mon lit et me repassai la scène de la rencontre à Galaxie au ralenti. Je me sentais très légère et très fatiguée. En fait, j'étais exactement dans le même état que si on était partis aux sports d'hiver. Le premier soir de la première journée de ski, lorsque je m'allongeais sur mon lit, j'étais toujours épuisée par le soleil, la neige, le froid, le silence, la queue au remonte-pente et les frites mangées au bas des pistes entre le pouce et le reste des doigts ligotés dans une moufle en forme de gant de boxe, et dès que je fermais les yeux, chacun de mes muscles défilait sur ma rétine noire, au garde-à-vous, comme une armée de petits soldats au rapport. Cette ivresse était proche de celle que je ressentais à présent. J'en conclus que l'amour était comme le sport, ou alors comme les voyages, ou encore comme les vacances, mais dès que ces pensées se formulèrent dans mon esprit, je les écartai avec mépris, d'abord parce qu'elles étaient d'une banalité à faire peur à Nadine-le-bon-sens-près-de-chez-vous en personne et aussi parce que je refusais qu'il soit un instant question d'amour dans ma vie. Comme je l'avais dit à Johana, ce n'était pas mon truc et ça n'allait pas le devenir sous prétexte que le plus beau garçon de la terre rêvait de moi la nuit.

Au bout d'un moment, lassée d'osciller comme le pendule de Madame Soleil entre l'image arrêtée du regard de Paulus et la décision ferme de ne pas me laisser aller à croire que c'était arrivé, que moi aussi j'étais devenue une femme en cinq minutes et que j'allais enfin pouvoir entrer dans le club dont Johana faisait partie sans même le savoir, je sortis de ma chambre avec l'idée de tirer mes parents de leur tanière. J'en trouvai un dans la chambre à coucher et je débusquai l'autre dans le salon. Ils étaient, chacun à sa manière, silencieux, pensifs et inabordables. Rien qu'à voir leurs silhouettes sombres et ratatinées se découper dans le noir, je savais que ce n'était pas la peine d'essayer de leur adresser la parole. Ça aurait pourtant dû les mettre de bonne humeur de faire de telles économies d'électricité. Avec leur nouvelle manie de rester assis dans l'obscurité à broyer du noir, on risquait de pouvoir survivre jusqu'à la septième génération rien que sur les allocations chômage de mon père. Ce qui m'inquiétait, malgré tout, c'est qu'il était déjà sept heures et demie et que rien ne cuisait, ni ne marinait, ni ne se faisait broyer, hacher, mouliner dans la cuisine. Est-ce que, en plus des économies d'énergie, mes parents avaient décidé de faire des économies de nourriture ? Peut-être mon père allait-il tous nous soumettre à la grève de la faim pour faire pression sur son patron. N'y tenant plus, je hasardai un timide « qu'est-ce qu'on mange ce soir ? » en direction du canapé sur lequel je reconnaissais le chignon, le pull à col roulé, la jupe droite, les collants soyeux et les chaussures à hauts talons de ma mère. Sans me regarder, elle marmonna quelque chose à propos d'une boîte de raviolis dans le placard de la cuisine.

Dix minutes plus tard, nous étions Judith et moi assises à table, devant nos vieilles assiettes en plastique de quand on était petites, alléchées par l'odeur de raviolis intégralement recouverts de fromage râpé. Cette boîte devait avoir habité des années durant dans le fond du placard, parce que ma mère détestait les conserves, et je souris en me disant que ça devait être un cadeau de Tata

Gilda. C'était la seule personne de la famille à avoir jamais compris que les boîtes, quelles qu'elles soient, sont toujours plus faciles à avaler que des épinards, même extra-frais du jardin.

— Est-ce que Tu pues peut venir manger avec nous? demanda Judith.

— Oui, répondis-je soulagée d'avoir une invitée, dis à Tu pues de nous rejoindre. C'est pas parce que les parents ont décidé de se laisser mourir de chagrin qu'on doit sombrer nous aussi dans la déprime.

5

Vers neuf heures, alors que la maison était plongée dans le silence et l'obscurité, le téléphone sonna.

— Allô.

— Bonsoir, pourrais-je parler à Julia, s'il vous plaît ?

— Mais c'est moi, banane. Qu'est-ce qui te prend, tu ne me reconnais pas ?

— T'as une drôle de voix, dit Johana. On dirait que t'as pleuré.

— Et alors ? dis-je en colère parce que j'avais effectivement pleuré. C'est pour me dire ça que tu m'appelles ? Parce que si tu as d'autres révélations à faire sur ma vie intérieure, je te signale que tu ferais mieux d'appeler tout de suite *Paris Match*.

– T'as mangé un lion ou quoi?

– J'ai mangé des raviolis.

– Des raviolis? En boîte?

– Ouais.

– T'as du pot! Ma mère n'en fait jamais. Elle dit que ça fait grossir et que c'est plein de saloperies. Et tu sais pas ce qu'elle fait à la place?

– Non.

– Elle fait des raviolis frais, comme elle dit, et je te raconte pas comme c'est fade et mou et dégueulasse.

– C'est quand même dingue, dis-je en oubliant d'être triste et désagréable parce que c'était exactement le genre de conversation que j'aimais avoir avec Johana, même à la cantine ils font pas de raviolis. Moi, tu vois, j'aurais cru que la cantine c'était l'endroit idéal pour manger ce genre de truc, eh ben pas du tout; c'est dingue, tu trouves pas?

– Ouais, c'est dingue. Mais tu sais pas quoi?

– Non, je sais pas quoi.

– Attends, je vais m'allumer une clope, ne quitte pas.

– Johana, je te hais, dis-je au combiné sourd et muet.

— Tu devineras jamais, me dit Johana après avoir tiré une première bouffée aussi longue que bruyante.

— Si, dis-je en lui coupant tous ses effets, je vais deviner tout de suite. Tu es sortie avec le marchand de glaces.

— Ouais.

— C'est tout?

— C'est déjà pas mal.

— Il est pas un peu con, par hasard?

— De toute façon, tu trouves toujours que mes mecs sont un peu cons par hasard, alors...

— Alors, figure-toi que c'est parce que je suis jalouse.

— Eh oh, Julia, faudrait savoir ce que tu veux. Cet après-midi tu te prenais encore pour sainte Thérèse et tout à coup, parce que t'as mangé des raviolis en boîte, tu te changes en dragueuse invertébrée?

— Non, c'est pas ça. C'est compliqué. Je sais pas ce que j'ai. Je me sens complètement vidée. Là, je suis allongée sur le canapé du salon, dans le noir. Tout le monde est couché à la maison...

— Attends, je t'arrête tout de suite, je te signale qu'il est neuf heures et quart. C'est un peu tôt pour se coucher, tu crois pas?

— Non, pas chez les Fuchs en période de crise. Parce que tu vois, chez les Fuchs, en période de crise, c'est le rythme basse-cour qui s'impose. Comme mes parents refusent d'allumer la lumière, qu'on est en plein hiver et que les jours durent donc cinq minutes, ils finissent par s'endormir comme des poules, avec la tombée de la nuit.

— Tu te fous de moi?

— Non, je te jure. Tout le monde dort.

— Mais pourquoi c'est tellement la crise chez toi? C'est pourtant pas si terrible que ça d'être au chômage. Et d'abord, qu'est-ce qu'il faisait ton père avant, comme métier?

— Je sais pas vraiment. Il était cadre dans une boîte.

— Cadre dans une boîte, ça fait un peu comme balai dans un placard. Ça devait pas être passionnant comme boulot.

— Je sais pas. Il n'en parlait jamais. De toute façon, mon père parle très peu.

— Tous les pères sont comme ça, si ça peut te

rassurer. Et je vais même plus loin: tous les hommes sont comme ça.

— Arrête, Johana. Qu'est-ce que t'y connais aux hommes?

— En tout cas, j'en connais plus que toi.

— Y pas de quoi se vanter.

— Oh, zut; c'est pas pour ça que je t'appelle.

— Ah bon? Moi je croyais que si. Je croyais que tu m'appelais rien que pour me dire comme tu t'y connais en hommes.

— C'est de l'humour, ça? Parce que l'autre jour, tu m'as dit que la plupart du temps, quand je m'énerve, c'est parce que je comprends pas ton humour.

— Oui, c'est de l'humour, mais maintenant que tu as demandé si c'en était, c'en est plus.

— Julia, tu me prends la tête.

— Johana, je t'emmerde.

— Tu veux que je te donne un conseil, ne mange plus jamais de raviolis!

Ce furent les derniers mots de Johana avant le clic rageur qui marqua la fin de la conversation et le début des hostilités. Je me retrouvai soudain seule, dans le noir, l'oreille vissée à un combiné désincarné et je m'en voulais à mort parce que c'était précisément à cet instant, alors que je venais de pousser ma meilleure amie à me raccrocher au nez, que j'éprouvais très violemment le besoin de parler à quelqu'un. Comme je l'avais dit à Johana, je me sentais vidée, et pourtant il fallait que ça sorte. Quoi? Mystère. Une sorte de pelleteuse-moissonneuse-batteuse miniature qui sillonnait l'intérieur de mes côtes. Et puis, en y réfléchissant, il n'y avait pas que cette machine agricole à labourer les sentiments dans ma cage thoracique, il y avait aussi le métronome que j'avais dû avaler sans m'en rendre compte et qui battait à cent quatre-vingt la noire à la place de mon cœur. C'était tellement étrange de se sentir à la fois creuse, épuisée et rongée par une sorte de feu froid qui naissait vers le sternum et se propageait jusque derrière les paupières dès que je fermais les yeux. Comment aurais-je pu dire tout ça à Johana? Elle se serait sûrement moquée de moi, ou alors elle aurait dit: «Qu'est-ce que tu entends par «feu froid»? C'est contradictoire, non?» et je n'aurais pas su quoi lui répondre, parce que tout ce que j'entendais par-là c'était de la poésie à trois sous volée à Prévert ou Aragon, que j'utilisais pour mettre des mots bien abstraits, bien jolis et bien incompréhensibles sur un état que je ne voulais pas connaître et que j'avais trop peur d'identifier. Je n'aime pas Paulus Stern. Je n'aime pas Paulus Stern. Je n'aime pas Paulus Stern. Je me répétais cette phrase et je finissais par y croire dur comme fer. Je me disais que c'était mieux que de l'amour, parce que si l'amour avait été aussi bien, aussi fort, aussi incroyable que ce que je ressentais, je l'aurais su, on me l'aurait dit, je l'aurais lu quelque part. Je lisais énormément à cette époque, beaucoup de romans, où il était, entre autres, question d'amour, mais ce qu'on en disait dans les livres ne m'avait jamais paru bien extraordinaire, ni bien enviable. Ce que je ressentais là, à cet instant, allongée, seule, dans le noir, sur le canapé, n'avait pas de nom. Je n'avais même pas besoin de penser à Paulus. Je me suffisais entièrement. Mon corps posé sur le velours vert-de-gris était tout. Dès que j'ouvrais les yeux la sensation s'évaporait, mais je n'avais qu'à les garder fermés et alors j'existais tellement fort, que je n'existais plus.

J'étais en plein dans cette transe demi-somno-lente, lorsque Judith entra dans le salon.

— Tu pues s'est cassé le bras, murmura-t-elle, pour ne pas me réveiller.

— Je ne dors pas, Judith, lui dis-je. Tu peux parler plus fort. Et d'ailleurs, ajoutai-je en me redressant sur un coude, je ne comprends pas pourquoi tu me parles, même tout bas, si tu crois que je dors.

— Parce qu'on ne sait jamais, répondit Judith avec une sagesse de chef sioux et sa voix normale.

— Montre-moi ça, lui dis-je en prenant Tu pues dans mes bras.

— Elle n'a pas souffert, comme on dit, déclara Judith, qui n'avait pas l'oreille dans sa poche quand il s'agissait de retenir des lieux communs.

— C'est mieux comme ça, dis-je à Judith en essayant de ne pas rire. Mais tu sais, on dit «elle n'a pas souffert» seulement quand quelqu'un est mort.

— Justement, dit Judith d'une voix triste mais digne. Tu pues est morte.

— Mais Judith, c'est impossible, on ne meurt pas d'un bras cassé.

— Mais si, mais si.

— Mais non, mais non.

— Plusque je te dis que si (Judith n'arrivait jamais à dire «puisque»). C'est pas comme nous, les poupées; les poupées, ça peut mourir d'un bras cassé.

— Ah bon, dis-je, un peu attristée par le destin tragique de Pamela, alias Tu pues, morte d'un bras cassé à l'âge de trois ans. Et qu'est-ce que tu veux qu'on fasse?

— Je veux qu'on l'enterre dans la poubelle.

— Mais c'est dégoûtant, tu ne peux pas faire ça à Tu pues. Je te rappelle qu'elle a été ta poupée préférée pendant plusieures années.

Judith baissa les yeux sans répondre et deux grosses larmes roulèrent sur ses joues. Je me recouchai sur le canapé, avec Tu pues calée sous un bras, et j'enroulai Judith dans l'autre.

— Tu verras, lui dis-je. Je te parie que demain elle aura ressuscité.

Mais Judith dormait déjà.

Vers minuit je me réveillai parce que j'avais froid. J'ouvris les yeux et la première chose que je vis fut le visage rond de Judith, les yeux fermés et la bouche ouverte. Son corps était recroquevillé contre le mien, très chaud. Je pris une de ses mains dans la mienne et la lâchai, son bras retomba mollement sur son côté; elle dormait profondément. J'eus l'idée de me lever sans la réveiller et de la porter dans mes bras jusqu'à son lit, mais ça ne marcha pas, dès que mon corps bougea, Judith ouvrit les yeux, très grands, comme si elle n'avait jamais dormi. Elle me regarda, prit Tu pues par la main et partit toute seule se coucher dans sa chambre, sans dire un mot. Pourquoi rien n'était pareil la nuit? Pourquoi pouvait-on ne rien se dire quand il faisait noir et aller se coucher toute seule, les yeux ouverts, sans pour autant se réveiller? Car c'est exactement ce que je fis moi aussi. Quand mon réveil sonna à sept heures et demie, parce que j'avais oublié de le déprogrammer pour les vacances, j'étais sous ma couette et sur mon oreiller, dans mon lit.

La maison était légèrement plus animée que la veille au soir. La radio marchait dans la cuisine et, depuis ma chambre, j'entendais des bruits de tasses et de couverts. Ce fut le déclic du grille-pain qui me poussa à me lever.

Il faisait encore nuit et nous savons tous comme un petit déjeuner en famille quand il fait encore nuit, que c'est l'hiver, qu'il fait froid même en chaussons et qu'on a tous des têtes de vieux navets posées sur le col de nos robes de chambre qui n'arrêtent pas de faire des peluches, je disais donc, nous savons tous à quel point ce genre de petit déjeuner est triste. Et pourtant, peut-être par contraste avec l'angoisse des jours précédents, ou parce que je voyais tout à travers le filtre rose de l'amour ou d'autre chose, je trouvais que l'atmosphère qui régnait dans la cuisine, avec maman en train de remplir la cafetière, papa le nez plongé dans le vide de sa tasse et Judith effondrée dans sa chaise, les yeux dépassant à peine de son bol, masqués par un brouillard de chocolat chaud, avait quelque chose de magique. Ma mère aurait pu me dire: «Tiens, Julia? Qu'est-ce que tu fais debout à cette heure alors qu'on est en vacances? Toi qui aimes paresser dans ton lit comme une couleuvre», histoire de bien me faire sentir que j'étais de trop. Mon père aurait pu dire : « Sors le sucre pour ta mère et ta sœur, Julia, moi je prends de l'aspartam », d'une voix à vous fendre le cœur. Judith aurait pu se brûler la langue et se mettre à pleurer. Mais rien de tout ça n'arriva, c'était comme si chacun des membres de la famille avait décidé de faire la trêve. Sans y penser, parce que c'était exactement dans le ton de la matinée, je pris les tartines grillées qui sortaient du toaster et j'en beurrai deux pour ma mère et deux pour ma sœur. J'étais en train de me dire : « Julia, souviens-toi de cette scène. Ta famille peut tout à fait être une famille normale, comme les autres… » lorsque Judith dit, en reposant maladroitement son bol sur la table comme s'il pesait cent kilos :

— C'est pas aujourd'hui Noël ?

Mes parents échangèrent un regard. Ma mère cogna sans faire exprès la cafetière contre l'évier, un peu d'eau se renversa, maman dit « merde », mais avec les dents tellement serrées que ça donna « mem », mon père se racla la gorge et moi je rentrai la tête dans les épaules en prévision de l'orage. La famille Fuchs tranquille à table, c'était trop beau pour être vrai.

— Non, c'est demain, répondit ma mère en posant la cafetière sur le feu. Mais ça ne sera pas un Noël comme les autres cette année.

Je m'en doutais. La loi de l'emmerdement maximum, que j'avais décrite à Johana, frappait à nouveau.

— Pourquoi y a pas de sapin? demanda Judith, qui avait visiblement décidé de tout gâcher.

— Ma chérie, commença mon père.

Quand mon père commençait une phrase par «ma chérie», il fallait toujours s'attendre au pire. C'était comme ça qu'il avait commencé pour m'annoncer la mort de Tata Gilda. Il m'avait dit: «Ma chérie, il va falloir que tu sois très courageuse. Il y a eu un malheur.» Immédiatement j'avais envisagé la disparition de Judith, ou de ma mère, ou des deux, en me disant que c'était triste, mais que j'allais effectivement être très courageuse et y survivre sans trop de mal. «Tata Gilda est morte», avait-il ajouté, et là ç'avait été terrible parce qu'il y a des gens qui ne peuvent pas mourir; il y a des gens à qui ça ne va pas du tout. Quelqu'un comme Tata Gilda aurait dû mourir à trois cents ans, ou même à cent ans, mais pas avant moi en tout cas, pas avant tous ces gens qui auraient pu mourir à sa place sans que ça me fasse ni chaud, ni froid. Je ne dis pas ça pour ma mère ou pour Judith, mais pour les autres, M. Croque, le patron de papa, pour prendre un exemple bien concret. Ce qui me rassurait, malgré tout, c'est que je savais que rien de pire que la mort de Tata Gilda ne pouvait arriver, même si mon père commençait sa phrase ce matin-là encore par «ma chérie».

— Ma chérie, tu sais que j'ai été renvoyé de mon travail?

Judith fit un grand «oui» des yeux.

— Alors c'est difficile, maintenant. On n'a plus beaucoup d'argent. Il faut qu'on fasse des économies...

— Moi, coupa Judith, j'en ai de l'argent. Mais je peux pas vous le donner, malheureusement, parce qu'il est à moi, rien qu'à moi, pour m'acheter tout ce que j'ai envie.

Je reconnaissais cette phrase, c'était mot pour mot ce que mes parents avaient dit à Judith en lui montrant sa tirelire pleine de pièces de vingt centimes, quand ils avaient appris que je lui avais emprunté trois francs pour me payer un croissant.

Mon père passa la main dans les cheveux de Judith.

— Nous ne voulons pas de ton argent, ma pupuce, poursuivit-il. Il faut juste qu'on fasse un peu attention, pour tenir le coup, tu comprends?

Judith refit un grand «oui» des yeux.

— Alors cette année on ne fera pas vraiment Noël.

C'était trop fort. Quelle bande de menteurs! Les allocations chômage, c'était pas pour les chiens, quand même! A les entendre, on aurait dit qu'on n'avait même plus de quoi s'acheter du pain. J'aurais mieux fait de ne rien dire, mais je ne pouvais pas laisser passer ça.

— Il y a quelque chose que je ne comprends pas, dis-je à mon père. Quand on est licencié, on touche des allocations chômage, on touche même une indemnité de licenciement, non?

— D'où est-ce que tu sais tout ça? gronda ma mère, effrayée à l'idée que j'allais foutre son grand mélodrame par terre.

— C'est Johana qui me l'a dit. Son père est un chômeur professionnel. Et puis on en avait parlé l'année dernière en instruction civique. Si tu touches une indemnité et des allocs, il n'y a pas de raison de s'en faire, continuai-je en m'adressant à nouveau à mon père. Je ne dis pas qu'on va faire un Noël avec truffes et compagnie, d'ailleurs tant mieux parce que ça craint vraiment, Noël. Je dis pas non plus que vous allez nous faire les plus beaux cadeaux de notre vie, mais quand même, faut pas exagérer!

Je sentais bien, tout en parlant, que j'aurais mieux fait de ne jamais ouvrir la bouche. Je savais que j'avais empiété gravement sur le terrain de mes parents. Il y avait des sujets comme ça qui étaient leur chasse gardée, des choses qu'on n'était pas censé comprendre, nous, les petites. Et c'est vrai que je n'avais pas de leçons à leur donner. Mais tout de même, à quoi ça servait de se la jouer bidonville? Je ne disais pas ça pour Noël, en plus. Je m'en fichais pas mal de Noël, personnellement, je n'avais aucun lien de parenté connu avec le petit Jésus, je ne vois donc pas pourquoi je lui aurais fêté son anniversaire. Mais c'était pour Judith, et pour mes parents eux-mêmes, parce qu'ils faisaient vraiment pitié à voir.

— Julia, sors immédiatement, dit ma mère entre ses dents. Va dans ta chambre. Je ne veux plus te voir de la journée.

— Mais merde! criai-je. J'ai même pas petit-déjeuné.

Mon père se leva et me donna une gifle.

— Merde, merde, merde et merde, dis-je sans pleurer.

Je sortis de la cuisine après leur avoir jeté à tous les deux un regard plein de haine et je m'enfermai dans ma chambre.

A travers la cloison qui me séparait de la cuisine, j'entendis Judith éclater en sanglots, et ma mère casser une tasse et engueuler mon père.

— Qu'est-ce qui t'a pris de lui donner une gifle? Ça va pas non? On n'a jamais battu les enfants dans cette maison et c'est pas maintenant qu'on va commencer.

J'entendis presque le corps de mon père se recroqueviller sur sa chaise. J'aurais préféré recevoir mille gifles que d'entendre ma mère lui parler comme ça. Quelle fausse jetonne c'était! Elle, elle ne me donnait peut-être pas de gifles, mais elle ne ratait pas une occasion de me faire sentir que je n'étais pas exactement le genre de fille qu'elle aurait voulu avoir. J'étais toujours trop insolente, mal habillée, mal coiffée, trop grande, trop maigre, pas assez «romantique», comme elle disait. Qu'est-ce que j'avais bien pu lui faire? C'est en me posant cette question que j'eus envie de pleurer, mais je me retins, par orgueil et surtout par défi. C'était quand même moi la plus forte dans cette famille. Comme je n'avais rien de mieux à faire, je me rendormis.

J'étais au beau milieu d'un rêve assez agréable, quand j'entendis la voix de ma mère, tout près de mon oreille.

— Julia, Julia, réveille-toi, c'est le téléphone pour toi.

J'ouvris un œil et je vis, tout près de moi, le sourire de ma mère, pas le sourire de sa bouche, le sourire de ses yeux, et, comme elle était très près, je sentis son odeur, l'odeur qu'elle avait toujours eue et qu'elle aurait toujours, l'odeur de ma maman. Sans faire exprès, je l'entourai de mes bras et je posai ma tête contre sa poitrine. J'entendis son cœur battre, trois battements exactement, avant qu'elle me repousse, tout doucement pour me passer la main sur la joue.

— Lève-toi, mon bébé, dit-elle. Sinon ça va raccrocher.

Tout embuée, je sortis de mon lit pour aller répondre dans le salon.

— Allô?

— Bonjour, je ne te réveille pas?

— Non. Qui c'est?

— Pardon... C'est Paulus, Paulus Stern.

Comme si j'avais connu deux Paulus! Il était vraiment pas croyable ce type!

— Ça va? lui demandai-je parce qu'il était beaucoup trop tôt dans la journée pour trouver quelque chose de plus malin à dire.

— Oui, oui, ça va.

Il y eut un silence que je ne pus briser parce que j'étais en train de bâiller.

— Je voulais te remercier, dit-il enfin. Parce que ça m'a fait beaucoup de bien de rire avant d'aller à l'enterrement. Ça m'a fait tellement de bien que quand je suis rentré, je suis repassé par Galaxie pour voir si tu n'y étais pas. C'était idiot parce qu'il était sept heures et que les boutiques commençaient à fermer. Mais... mais c'est tellement horrible de voir un mort. C'était la première fois que je voyais un corps mort.

— Moi, j'en ai jamais vu. Quand ma Tata Gilda est morte, j'ai pas voulu la voir. Et maintenant, je regrette. Parce que... je sais pas pourquoi.

— C'est froid, c'est très froid. Et à part ça, il n'y a rien de spécial. C'est la même personne que tu as toujours connue, sauf que... Sauf que tu ne peux plus lui parler, ou plutôt qu'elle ne peut plus te parler, ni t'entendre, ni rien faire de tout ce qu'elle faisait avant. Mais à part ça, il n'y a rien de changé, tu comprends?

— Oui, dis-je en essayant de m'imaginer Tata Gilda dans son cercueil. Tata Gilda, la même, mais allongée, toute seule, dans le noir en train de ne rien faire du tout. Oui, je comprends.

Il y eut encore un silence.

— Excuse-moi de te parler de ça. C'est pas très drôle. Je ne sais pas pourquoi je t'ai appelé.

— C'est pas grave dis-je en pensant: «Je te rappelle que tu es censé être amoureux de moi, banane. C'est complètement normal d'appeler quelqu'un qu'on aime.»

— Ça va, sinon?

— Oui, oui. Sauf que mes parents ont décidé de ne pas fêter Noël et que ma petite sœur crise un peu à cause de ça.

— Ah bon? Nous, on fête jamais Noël de toute façon, alors...t'as qu'à lui dire. Ça la consolera.

— Ouais, je lui dirai.

— Bon, ben, merci encore.

— Y pas de quoi, dis-je en pensant très fort: «Ne raccroche pas, Paulus, dis-moi quelque chose d'autre, parlons encore de la mort, ou de Noël, ou de ce que tu veux.»

— Alors au revoir, à la rentrée.

— OK, salut, dis-je en raccrochant et en me haïssant de ne pas savoir faire la conversation.

J'avais encore la main sur le combiné quand ma mère entra dans le salon. Ça y est, me dis-je, elle va me demander qui c'est ce garçon, avec des sales yeux complices et une main dans mes cheveux, en vue de me tirer les vers du nez.

— Je voulais te dire, Julia, pour ce qui s'est passé ce matin...

Tiens, surprise. C'était pourtant elle qui avait

répondu, puisqu'elle était venue me réveiller.
Paulus n'avait pas une voix de fille. Je récapitulai :
ma mère savait qu'un garçon m'avait téléphoné,
c'était la première fois qu'une telle chose arrivait
et elle ne m'en parlait même pas, elle ne demandait même pas qui c'était.

— Je voulais te dire, poursuivit-elle, j'ai eu
tort de crier comme ça. On a eu tort de s'énerver. Ton père est complètement bouleversé de
t'avoir giflée...

— Ah ? coupai-je. C'est vraiment pas la peine.
Dis-lui. Une gifle c'est rien du tout. Tiens, je ne
m'en rappelais même plus.

Ma mère sourit.

— Tu es gentille, dit-elle. Et tu avais raison
tout à l'heure. C'est vrai que nous ne sommes pas
ruinés. On a des économies et, comme tu dis,
ton père va toucher des allocs. Ça n'est pas vraiment un problème d'argent en fait.

Aïe, aïe, aïe, pensai-je. Si ça n'est pas un problème d'argent, je t'en supplie, maman, ne me dis pas
ce que c'est. Je sens que ça va être quinze fois pire.

— Ce qui se passe, c'est que ton père fait une
sorte de dépression.

Je fus étonnée. J'avais toujours trouvé que mon père faisait une sorte de dépression. Je croyais que ça faisait partie de sa personnalité.

— Quand tu es née, il m'a demandé d'arrêter mon travail. Tu sais que j'étais mannequin? Je gagnais très bien ma vie et j'aurais très bien pu continuer. Mais ton père ne voulait pas. Pour lui, c'était l'homme qui devait faire vivre la famille. La femme devait s'occuper des enfants; c'est un peu caricatural ce que je te dis, parce que ton père n'est pas macho, du tout, mais .. enfin, peu importe. J'ai accepté. Et maintenant qu'il a perdu son travail, il a honte. Il dit qu'il n'est pas capable de nous faire vivre. Il dit qu'il a raté sa vie, que je n'aurais jamais dû l'épouser (ma mère commençait à pleurer tout en parlant), que je suis trop bien pour lui, qu'on devrait divorcer...

Le mot «divorcer» était méconnaissable, parce que noyé dans un sanglot, mais je le reconnus parce que j'étais très psychologue.

Maman, pensai-je, pourquoi faut-il que tu choisisses de me parler de tes problèmes de couple aujourd'hui? Pourquoi faut-il que tu te mettes à me parler comme à une amie, ce matin?

Pourquoi n'essaies-tu pas comme d'habitude de me cuisiner sur ma vie privée? Pourquoi ne me poses-tu pas des tas de questions indiscrètes? Maman, je meurs d'envie de te parler de Paulus. C'est très gentil de m'expliquer ce qui ne va pas à la maison, mais je m'en fiche de tout ça. C'est moi qui dois te raconter ma vie, pas toi.

— Tu veux que j'aille parler à papa?

— Non, dit-elle en reniflant, c'est pas la peine. Je vais me débrouiller. Je te dis juste ça pour que tu comprennes. Pour que tu ne t'inquiètes pas.

Elle me repassa la main dans les cheveux.

Je la regardai dans les yeux et je lui dis, avec les yeux, «maman je crois que j'ai un amoureux», elle me sourit et me dit:

— Tu es ma petite fille chérie.

— Allô, Johana?

— Oui.

— C'est Julia.

— On est fâchées.

— Ah bon?

— Tu te rappelles pas ? Tu me prends la tête et moi je t'emmerde, ou le contraire, je sais plus.

— Non, c'est impossible, Johana. Tout ça, c'est du passé.

— T'as un truc à me dire ?

— Oui.

— Un truc bien ?

— Oui, un truc vraiment super.

— Bon, alors d'accord. On fait la paix.

— Paulus vient de m'appeler.

— Et alors, qu'est-ce qu'il t'a dit ?

— Plein de trucs, c'est trop long à raconter.

— Mais tu sais, j'ai pensé à quelque chose. Tu m'as bien dit que tu l'avais rencontré à Galaxie hier ?

— Ouais.

— Et tu m'as dit aussi qu'il allait à l'enterrement de sa grand-mère ?

— Oui.

— Alors tu peux m'expliquer ce qu'il foutait à Galaxie. J'veux dire, ç'aurait été l'anniversaire de sa grand-mère, ç'aurait été complètement normal qu'il passe à Galaxie avant, pour lui acheter un cadeau par exemple. Mais si c'était vraiment son enterrement, quel besoin il avait d'aller à Gala-xie?

— Où tu veux en venir?

— Nulle part, j'ai juste l'impression qu'il est un peu mythomane sur les bords.

— Si vous êtes si fort que ça, Inspecteur Gad-get, est-ce que vous pouvez m'expliquer quel in-térêt le suspect aurait eu à me faire croire que sa grand-mère était morte?

— Pour t'attendrir. Il t'a manipulée psycholo-giquement, tu comprends?

— Tout ce que je comprends, c'est que tu crèves de jalousie et que j'avais bien fait de me fâ-cher avec toi tout à l'heure. Je me demande même ce qui m'a pris de te rappeler. De toute fa-çon je me fiche pas mal de ce que tu dis, parce que question perspicacité, t'as plutôt un métro de retard…

— Attends, stop, arrête tout de suite. Je vais te dire ce que tu vas faire au lieu de cracher dans ton téléphone, tu vas raccrocher gentiment et aller te mettre ton complexe de supériorité où je pense. OK? Allez, salut, Marie Curie de mes fesses.

C'était la deuxième fois en moins de vingt-quatre heures que Johana me raccrochait au nez. Le pire, c'est que, les deux fois, elle avait eu absolument raison. Je ne sais plus dans quelle chanson on disait que l'amour vous faisait perdre vos meilleurs amis. Moi je n'avais qu'une seule meilleure amie et j'étais effectivement en train de la perdre à cause de Paulus Stern.

Et si ce qu'elle disait était vrai? Si Paulus était vraiment un baratineur? Non seulement j'aurais perdu Johana, mais en plus je me ridiculiserais. Il fallait faire vite, tout arrêter, remonter la manivelle à sentiments, faire comme si rien ne s'était passé, redevenir Julia Fuchs, la fille de ses parents, la sœur de sa sœur, l'amie de Johana, la bête en classe, la fiancée éternelle de Karim Djélouli. Paulus, je ne t'aime pas. Paulus, je ne t'aime pas. Paulus, je ne t'aime pas. Plus le temps passait et moins cette foutue méthode fonctionnait. En y réfléchissant, ça m'était bien égal qu'il se moque de moi, qu'il me manipule psychologiquement, comme disait Johana (de quel magazine débile avait-elle encore sorti cette phrase à la noix?), qu'il rie de moi le soir avec ses amis, qu'il joue mon corps au poker avec Al Capone et sa bande, qu'il me traîne dans la boue, attachée par les pieds à la queue de son cheval… je m'imaginais sans problème en martyr de l'amour. J'avais mis dix ans à me remettre de l'affaire Djélouli, je pouvais bien me mettre en pilote automatique pour le reste de ma vie sur le cas Stern. Ce qui était important, finalement, ce n'était pas vraiment que le sentiment soit partagé, c'était qu'il existe, quelque part dans l'air. Ceci dit, ce n'était pas une raison pour rompre avec Johana. Je savais que, la plupart du temps, quand elle ne me comprenait pas, c'est parce qu'elle le faisait exprès. Johana avait envie d'être bête comme moi j'avais envie d'être belle, ça la rassurait, parce que quand son cerveau marchait trop bien, elle voyait des choses autour d'elle qui lui donnaient envie de se jeter par la fenêtre. C'est vrai que moi à sa place, avec une mère et un père comme les siens, je me serais fait passer pour mongolienne en moins de deux, histoire qu'ils me foutent la paix.

— Allô, Johana?… Johana, ne raccroche pas, c'est très important. Tu es ma seule amie. Tu es ma meilleure amie. Je t'adore. Je suis nulle. Je m'excuse.

— Allô? Qui est à l'appareil?

— Ben, c'est Julia.

— Ah, c'est toi mon chou, Johana est dans sa chambre, tu veux que j'aille la chercher?

— Bonjour Mme Decourt.

— Tu peux m'appeler Jocelyne, tu sais?

— Non, non, merci, c'est gentil. Je n'arrive pas à appeler les adultes par leur prénom.

J'entendis la mère de Johana hausser les épaules et poser le combiné sur le canapé en cuir recouvert de coussins dorés.

— Julia? Qu'est-ce que t'as raconté à ma mère?

— Rien, je me suis ridiculisée, une fois de plus, mais je m'en fiche pas mal.

— Tu es très forte d'arriver à te ridiculiser devant ma mère, parce qu'elle est tellement tarte qu'il faut faire un gros effort pour la surpasser.

— Arrête, Johana. Tu sais, les mères ne sont pas si graves qu'on croit.

— Qu'est-ce que tu me fais là? Un plan Nadine-le-bon-sens-près-de-chez-vous?

— Oui, je crois que oui. Je crois que je suis en train de devenir très cucul la praline. Je crois que je suis en train de me prendre pour les quatre filles du Docteur March. Johana, pardonne-moi pour tout à l'heure. Pardonne-moi pour toutes les autres fois aussi.

— Stop, c'est très très grave ce qui t'arrive, Julia. Tu veux que je mette un disque de Vivaldi?

— Pourquoi Vivaldi?

— C'est pas dans Vivaldi qu'il y a des violons?

— Si, si, c'est dans Vivaldi. Mais c'est pas la peine, c'est passé, je vais redevenir Freddy IV en moins de deux.

— Ça va, sinon?

— Oui, ça va, mais je suis tellement excitée, tu peux pas savoir.

— Mais si je peux savoir. Mitterrand te peint, tu le peins, il ne reste plus qu'à trouver une occase pour que vous vous balayiez et hop, fiançailles dans un mois, mariage l'année suivante, dans quatre ans tu as deux enfants et mille six cents balles d'allocs par mois, le Pérou!

— Ouais, c'est à peu près ça. Sauf que je me demande si tu n'avais pas raison tout à l'heure. Qu'est-ce qui me prouve qu'il m'aime... heu, je veux dire qu'il me peint vraiment. Je suis toujours aussi maigre, aussi blanche, aussi binoclarde et aussi coincée qu'avant...

— Ecoute, j'ai une idée. A la rentrée je vais organiser un dîner de classe pour la fête des Rois. Ma mère sera d'accord, elle adore les lumières tamisées. On invitera tout le monde et donc Mitterrand. On mettra de la musique, on dansera et je te parie qu'à la fin de la soirée, tu sauras à quoi t'en tenir.

— Tu crois?

— Je suis sûre. C'est comme ça que j'avais fait avec Jean-Baptiste.

— Mais Jean-Baptiste, c'était en septième!

— C'est pas de ma faute si je suis précoce. Je te jure que c'est le meilleur moyen. Et puis il n'y a pas eu une seule fête dans cette classe depuis le début de l'année, on se croirait dans un pensionnat de bonnes sœurs.

— Bon, d'accord. Ça tombe quand les Rois?

— C'est le 6 janvier... attends, je regarde sur mon calendrier... Ça tombe un dimanche. On n'aura qu'à faire ça le samedi 5, juste après la rentrée.

— Génial. Bon, on se rappelle. Il faut que je m'occupe de Judith aujourd'hui.

— OK, à plus.

Qu'est-ce que je pouvais me sentir bête! J'avais toujours détesté les fêtes, les boums, même les anniversaires quand j'étais petite. Je ne savais pas danser. J'avais honte. Dès que la lumière baissait et que le volume de la chaîne montait, j'avais mal au ventre. Je finissais toujours tapie dans un coin obscur de la pièce à boire du Coca. Johana n'était pas comme ça. Même Judith n'était pas comme ça. Elles, elles arrivaient à s'amuser, à danser, à manger des chips, et, mieux encore, à proposer des chips à leur voisin. Moi, dans les fêtes, je ne pouvais pas échanger un mot, j'étais comme un poisson hors de son bocal qui n'aurait même plus la force de se tortiller, je me contentais de penser à respirer pour ne pas, en plus du ridicule d'être là assise dans un coin, sans danser, avec un verre de Coca à la main, mourir d'un arrêt cardiaque devant tout le monde.

— Julia? Julia, où t'es?

— Je suis dans le salon, Judith, qu'est-ce qu'il y a?

Judith entra en cachant quelque chose dans son dos. Elle avait les sourcils levés et la bouche hermétiquement cousue dans un petit sourire malicieux qui voulait faire comme si de rien n'était.

— J'ai réparé Tu pues! déclara-t-elle en brandissant soudain sa poupée chauve.

Tu pues avait effectivement l'air plus en forme que la veille. A la place de son moignon, il y avait maintenant une tenaille empruntée à la boîte à outil de papa, fixée avec du scotch marron à colis. C'était une vision plutôt sinistre, mais Judith avait l'air si contente que je la félicitai pour le travail de microchirurgie qu'elle avait accompli.

— Tu as demandé à papa avant de prendre la pince dans sa boîte à outils?

— Oui, et papa m'a dit de prendre ce que je voulais, que de toute façon ça n'avait plus d'importance maintenant.

Ma mère avait raison, il allait vraiment très mal.

— Tu sais quoi, Judith? dis-je en la prenant sur mes genoux. Le fils de Mitterrand a téléphoné. Tu te souviens, le garçon qu'on a rencontré hier à Galaxie?

— Oui.

— Eh ben il m'a dit qu'il ne fallait pas que tu sois triste parce qu'on ne fêtait pas Noël à la maison, parce que lui, il ne l'avait jamais fêté de sa vie et qu'il ne s'en portait pas plus mal.

— Bon, bon. C'est bien, dit Judith d'un ton de vieux pépé. Mais tu sais, j'en ai parlé avec Camel... Parce que tu sais, ce matin, quand tu dormais, on est allées faire les courses à Champion avec maman et on a rencontré Camel et sa mère et on a dit avec Camel qu'on allait quand même faire un gâteau en cailloux.

— Judith! ne me dis pas que vous faites encore des gâteaux en cailloux à votre âge?

— Si, si. C'est bien, tu sais. On ne les mange pas, on n'est pas des bébés, mais, bon, on les fait quoi. On va au square, on fait un gâteau en cailloux et ça va mieux.

Si seulement j'avais pu aller au square avec Paulus et faire un gâteau en cailloux avec lui, au lieu de faire cette foutue fête des Rois! On ne pouvait vraiment pas dire que les choses s'arrangeaient en grandissant.

6

Demain c'était la rentrée. Les vacances s'étaient mal passées. Johana avait fini par partir aux sports d'hiver avec son marchand de glaces et je m'étais retrouvée seule avec Judith et parfois Camel, qui était un brave type d'ailleurs, quoiqu'un peu jeune. On avait joué à tout. A l'école, à la dînette, au marché, à «Qu'est-ce qu'on mange?», à la piqûre, à l'élastique, à la marelle, à cache-cache et même à pigeon vole.

Mon père avait vaguement cherché du travail. Il avait obtenu deux rendez-vous et était rentré plus déprimé à chaque fois. A la première entrevue on lui avait dit que c'était un malentendu, que c'était une femme qui était recherchee pour ce poste et non un homme, et à la deuxième on lui avait reproché de ne pas parler espagnol. Depuis il n'arrêtait pas de nous expliquer que ce n'était pas qu'il était paranoïaque, mais qu'il avait bien senti, au ton des employeurs, que c'était parce qu'il était trop gros qu'on lui refusait la place. Ma mère avait beau lui dire que ce n'était pas grave, qu'il avait tout son temps, qu'il ne fallait pas s'attendre à trouver du premier coup et qu'il pouvait certainement prétendre à mieux qu'à un poste de secrétaire de direction, même bilingue, il sombrait de plus en plus.

Il ne parlait plus de divorce à présent, il évoquait tout simplement sa disparition et notre avenir garanti par la prime de l'assurance vie. Il nous disait, en plein milieu du repas, en général après avoir approché son couteau du beurrier, puis l'avoir retiré, parce qu'il avait croisé les yeux raisonnables de ma mère : «Ce qu'il faudrait en fait, c'est que je meure. Ce serait mieux pour tout le monde.» On peut dire que l'effet produit était grandiose. Judith éclatait en sanglots, ma mère se mordait la lèvre et disait : «Mais enfin, mon chéri, comment peux-tu dire une chose pareille?» et moi je pensais : «Crève, charogne» en espérant que Dieu ne m'entende pas et surtout que, même s'il m'entendait, il n'ait pas l'idée saugrenue de m'exaucer. Je ne pensais une telle horreur que par rage vengeresse. Un père n'avait pas le droit de dire devant ses enfants qu'il voulait mourir, de la même manière qu'un capitaine de navire n'abandonnait pas le bateau, même en voie de perdition assurée, avant les marins. Il fallait bien qu'il y ait un responsable, un type plus solide que les autres, sinon on n'avait qu'à tous se laisser mourir et on n'en parlait plus. Je lui en voulais tellement que je ne lui adressai pas une seule fois la parole pendant quinze jours. Ce salaud ne s'en rendit même pas compte.

Quant à ma mère, elle essaya comme elle pouvait de nous préserver de l'humeur dépressive de mon père. Elle recommença à allumer la lumière quand le soir tombait, à faire les courses et la cuisine, à nous gronder et à nous faire des petites leçons de morale et de propreté. Mais ce n'était quand même plus tout à fait la même. Elle avait cessé de chouchouter Judith ouvertement, et avait renoncé à toutes ses tentatives pour me faire parler et pénétrer les moindres recoins de ma vie privée. J'eus même du mal à la reconnaître quand, un beau jour, elle décida de frapper à la porte avant d'entrer dans ma chambre. D'un certain côté j'étais soulagée qu'elle me laisse en paix et qu'elle se mette à respecter mon territoire, mais d'un autre côté, je me sentais comme abandonnée, et seule surtout, très seule. Certains soirs, quand j'avais passé la journée accroupie dans la chambre de Judith à faire semblant de trouver encore très drôles des jeux qui me barbaient depuis trois ans, je me surprenais à regretter les séances d'indiscrétion de ma mère, à espérer qu'elle surgirait dans ma chambre pour se plaindre de moi, s'écrouler sur mon lit et me reprocher tous les défauts du monde.

Le paroxysme de l'horreur fut atteint le soir du 31 décembre, où maman, toujours dans l'idée de nous préserver, nous envoya Judith et moi passer la nuit chez notre grand-mère. Je ne vous raconterai pas *Le Corniaud* avec Bourvil, parce que vous l'avez sûrement déjà vu. Même Judith le connaissait par cœur. On s'ennuya à mourir devant la télé. On essaya de manger les toasts au faux caviar qu'avait faits mamie, pour nous faire plaisir, mais elle avait mis tellement de beurre dessous que c'était impossible de faire semblant d'aimer. On s'endormit avant minuit tellement on avait les boules, parce que d'habitude on était toujours avec nos parents le soir du jour de l'an et que les autres années on avait bu du champagne et on avait tous été saouls et on s'était vraiment bien marrés.

Dans onze heures et demie c'était la rentrée, et ça voulait dire plusieurs choses. Ça voulait dire que j'allais revoir Paulus – dont je n'avais pas eu de nouvelles depuis le coup de fil sur la mort, ça voulait dire que la fête des Rois allait bientôt arriver, que je n'avais toujours pas fini la rédaction à rendre pour le 5, qu'il fallait absolument que je choisisse comment m'habiller avant de m'endormir sinon j'allais passer une heure dans mon armoire et arriver en retard au bahut, et que le second trimestre, qui est, nous le savons tous, le pire de l'année, allait commencer. Toutes ces choses se bousculaient dans ma tête et me donnaient l'impression que je n'allais jamais pouvoir survivre à ce premier jour de classe.

Ça me paraissait incongru, après tout ce qui s'était passé pendant ces vacances, mon père au chômage, ma mère nouvellement adepte du respect de l'autre, moi amoureuse… etc, de me retrouver au lycée assise à côté des mêmes gens que j'avais quittés quinze jours plus tôt.

Allongée sur mon lit, je m'imaginais l'arrivée dans la salle, les quatre bises de Nadine – qui n'avait pas oublié de me dire avant les vacances: «Alors on se revoit l'année prochaine, haha!», les sourires faux de Coralie Toquet, le mépris impérial de Sylvie Gaidon et le bronzage irrésistible de Johana – qui avait dû passer, telle que je la connaissais, plus de temps allongée sur une chaise longue en bas des pistes qu'en haut d'un glacier ligotée sur un monoski. Les profs aussi allaient être les mêmes, Mme Lavis, Mme Gobelin, Mme Marcel, Mme Guillaume, celles qui m'appelaient Fuchs et celles qui m'appelaient Julia. Et au fait, pourquoi est-ce qu'on n'avait pas un seul prof homme dans ce foutu lycée? Il était pourtant mixte depuis quarante ans.

Tout allait recommencer comme avant, les interros surprise ou pas et les devoirs en retard, «bâclés», comme disaient les profs, mais auxquels j'avais quand même de bonnes notes, parce que c'est très dur pour un enseignant de saquer la meilleure élève de la classe. En un sens, c'était rassurant ce train-train qui roulait tous les jours ouvrables et qu'on pouvait reprendre en marche n'importe quand, en continuant de passer inaperçu. Pourtant, c'était ridicule de penser que demain, quand j'entrerais en classe, tout le monde allait me regarder avec les mêmes yeux qu'avant, les yeux de gens qui sont dans la même classe, qui ne sont pas amis, mais qui se disent bonjour dans la rue, parce qu'ils se voient tous les jours, s'assoient dans la même salle, s'aperçoivent à moitié nus dans les vestiaires de gym, et parfois dansent ensemble à des fêtes de fin d'année. Normalement, si, pour une fois au moins, tout s'était passé dans la vie comme dans les rêves, mes «petits camarades» auraient dû tous ouvrir de grands yeux et se pincer pour se persuader qu'ils ne rêvaient pas en me voyant entrer demain, moi, Julia Fuchs, toujours bonne élève, toujours fayote sur les bords, mais amoureuse, c'est-à-dire revisitée des pieds à la tête par un souffle qui me donnait le vertige quand je jetais un coup d'œil en moi-même, agrandie, étirée, approfondie par une force de type volcanique qui transformait l'introspection la plus quotidienne en plongée spéléologique. Je n'étais plus la même, je le savais, ma mère le savait, mon père s'en fichait et Judith était trop petite pour s'en rendre compte, mais zut et rezut, ça se voyait comme le nez au milieu de la figure. Mon nouveau moi brillait de mille feux, comme récuré au Cif ammoniacal, et pourtant, j'en étais sûre, personne, pas même Johana, ni Paulus, n'allait venir me voir demain pour me dire : « Julia, tu es resplendissante, je te reconnais à peine », ou alors : « Comme tu es épanouie, Julia ! » ou bien : « Acceptes-tu encore de parler aux larves que nous sommes à côté de toi, étincelante de féminité, de maturité, et tout ça ? »

Je me levai de mon lit pour me regarder dans le miroir en pied qui était accroché à ma porte. Après tout ce que je venais de me dire, je m'attendais à me trouver irrésistible pour la première fois de ma vie. Je fus très déçue. Même moi, moi à l'intérieur de qui tout ce grand chambardemant se passait, je ne voyais pas la différence. Face au miroir, je me retrouvai aussi mal à l'aise que n'importe quel autre jour. Soudain confrontée à mon enveloppe, j'essayai de tromper mon propre regard en gonflant subrepticement la poitrine, comme si je n'avais pas vu du premier coup d'œil que j'étais plate comme un gâteau raté, je me déhanchai en fixant mon image droit dans les yeux, pour faire comme si cette position était naturelle chez moi, enfin j'enlevai mes lunettes et là, dans la tache floue percée de deux trous noirs à la place des yeux, je vis qu'un moi ne change pas comme ça, du jour au lendemain. Je remis mes lunettes et je me reconnus, avec mes grandes jambes maigres perdues dans mon pantalon de velours côtelé trop court, avec mes grands bras maladroits fuyant des manches de mon pull comme s'ils prenaient un centimètre par minute, avec mes cheveux frisés, indomptés dans une queue-de-cheval que je croyais très artistique avant de la voir en face, boule de boucles crépues et ternes, avec ma bouche qui restait toujours un peu ouverte, comme celle d'une poupée qui parle et qui marche, avec ma peau qui était à elle seule une publicité pour le lait de chèvre, avec mes taches de rousseur qui auraient suffi à défigurer Marilyn, avec tout mon corps, en bloc, que j'essayais de capter d'un seul regard, mais qui persistait à me renvoyer chaque détail, chaque défaut, comme s'il avait été coupé en morceaux pour passer au microscope. Je n'étais vraiment pas terrible, et pour la cent millième fois, je me demandai ce que l'époustouflant Paulus Stern pouvait bien voir en moi.

Si encore il m'avait connue, mais vraiment bien connue. S'il avait su que je n'étais pas seulement bonne en classe, mais que, en plus, je réfléchissais à des tas de choses, toute seule chez moi, que j'avais un grand cœur, un peu rabougri par la timidité, mais grand quand même, il aurait peut-être eu quelques vagues raisons de m'aimer. Le problème, c'est qu'il ne connaissait que mon apparence, et on ne peut pas dire qu'elle était fascinante. Lui, il était beau, évidemment beau, tellement beau que même les garçons avaient une espèce de respect bizarre pour lui. C'était normal de l'aimer.

Est-ce que c'était si normal d'ailleurs ? Aimer quelqu'un pour sa beauté, ça n'était pas très glorieux. Est-ce que c'était à cause de sa tête pas possible que je n'arrêtais pas de penser à lui ? Parce qu'il était grand, qu'il avait un cou très fin et des clavicules bien dessinées (je les avais entraperçues le jour où il était arrivé en retard à l'interro de math, juste avant les vacances, et je n'étais pas près de les oublier). Si ç'avait été pour ses beaux yeux que j'étais tombée amoureuse, je serais tombée dès la rentrée de septembre, dès qu'il était entré dans la classe. Dès qu'il avait passé le pas de la porte, je me serais jetée à ses pieds en lui disant: «Piétine-moi, ô mon maître, je t'aime, je t'aime, je t'aime.» Alors que, je me souviens très bien, quand il était apparu le 3 septembre, dans sa veste bleu marine – c'était le seul type de troisième à porter une veste – avec ses cheveux bruns, brillants comme une pub pour shampooing et ses yeux comme deux petites planètes noires rangées sous ses cils de trois kilomètres de long, je m'étais juste dit «Tiens, encore un beau mec qui doit pas se prendre pour de la merde!» et je ne l'avais plus jamais regardé. Selon une logique, dont je reconnais aujourd'hui la faiblesse, je m'étais dit: «Toi, tu es moche, mais tu es intelligente, lui, il est beau, il doit forcément être con», comme si la vie marchait à cent pour cent comme dans Riquet à la houppe. Je n'étais pas tombée dans le piège, c'était donc pour autre chose que je l'aimais. C'était parce qu'il avait ri avec moi et Judith, parce qu'il m'avait si bien fait comprendre ce que ma Tata Gilda fabriquait sous la terre, et peut-être aussi, tout simplement, parce qu'il m'aimait. La beauté n'avait rien à voir là-dedans. «Youpi! me dis-je en me félicitant de mon sens acéré de l'analyse. Si ce n'est pas pour sa beauté que je l'aime, il se peut très bien qu'il m'aime même si je suis moche.» Ce raisonnement se tenait, il se tenait si bien que même Mme Lavis, ma prof de math, aurait fait en l'entendant le petit hochement de menton qui signifiait «vous voyez, les maths, c'est pas compliqué, c'est une affaire de bon sens». Mais il avait beau se tenir, je n'y croyais pas, de la même manière que même avec une feuille de calcul et une photo satellite sous les yeux, Louis XIV n'aurait pas pu admettre que la Terre était ronde. Certaines choses ont besoin d'être répétées et redémontrées pendant cent sept ans pour qu'on se mette à les accepter, il me faudrait à moi aussi un certain temps pour comprendre que quelqu'un puisse m'aimer.

Biiiiiiiiiiiiiiiiiiiiip! Ce salaud de réveil osait sonner alors que je m'étais endormie sans m'en rendre compte, que je n'avais toujours pas fini ma rédac pour le 5, que je n'avais pas choisi ce que j'allais mettre, et que j'étais aussi fatiguée que si je n'avais pas dormi pendant quinze jours. Je tournai la tête vers les cristaux liquides; la sonnerie ne s'était pas trompée, il était bien sept heures et nous étions déjà demain, le jour de la rentrée, le jour que j'aurais dû passer une soirée entière à préparer au lieu de m'endormir à moitié habillée, comme une clodo.

Je sautai de mon lit en pensant qu'il ne fallait surtout pas commencer à perdre du temps parce que je n'avais qu'une demi-heure pour choisir mes vêtements, un quart d'heure pour faire ma toilette et m'habiller et encore un quart d'heure pour m'assurer que je n'avais pas fait une grossière erreur, comme par exemple mettre des chaussettes blanches à trou-trous alors qu'on était en plein hiver, et enfin passer l'examen de départ devant ma mère, adjudant-chef détachée au stylisme.

En regardant dans mon armoire, je me rendis compte qu'une demi-heure était beaucoup trop pour décider entre rien et rien, car je n'avais rien à me mettre, comme on dit. J'avais un pantalon de velours côtelé en trois exemplaires, un bleu marine, un beige, un vert foncé, quatre chemisiers que je détestais plus les uns que les autres, deux pulls informes et trop courts aux manches, un gilet tricoté par Tata Gilda qui aurait pu être beau si ma grand-mère n'avait pas conseillé à ma tante de rajouter des fils dorés par-ci par-là parce que ça fait jeune, une jupe écossaise – sans commentaire – ma jupe rose d'été interdite par ma mère, une robe léguée par ma cousine Adrienne (il aurait fallu me payer dix mille balles pour que j'accepte d'en enfiler rien qu'une manche), un jean (pas un Levis parce qu'ils sont jamais en solde) et ma robe en soie avec des grandes manches que Judith adorait. Il n'y avait pas trente-six solutions ; en gros, soit j'étais aussi moche que d'habitude, c'est-à-dire en pantalon et en pull, soit je mettais ma robe en soie à grande manches que j'aimais moi aussi beaucoup. Le problème, c'est que, si j'arrivais en classe avec cette robe, ça revenait à dire à Paulus: «Alors, mon chéri, c'est quand est-ce qu'on se marie?» C'est bien ce que je pensais, je n'avais pas le choix, mais le temps de m'en rendre compte, il était déjà sept heures vingt-cinq. Il ne me restait donc plus que cinq minutes pour savoir si oui ou non j'allais retenter le grand coup du soutien-gorge.

— Julia, il faut qu'on t'achète un nouveau manteau! dit ma mère en me voyant entrer dans la cuisine à huit heures moins le quart avec mon velours côtelé noir, mon pull noir trop court aux manches, mes bottines à semelles en élasto-crêpe de plouc, mon vieux manteau de d'habitude et, écrit sur mon front: «Ouh, les cornes, elle a encore mis un soutien-gorge».

— Tu ne veux pas que je te prête mon duffle-coat? ajouta-t-elle. Il devrait t'aller maintenant, tu es presque aussi grande que moi.

Tu veux dire ton duffle-coat rouge? pensai-je sans pouvoir ouvrir la bouche, pétrifiée de gratitude que j'étais. Celui que je rêve de porter depuis deux ans? Celui qui a une doublure verte avec des lignes jaunes? Celui qui va rendre jalouse Sylvie Guidon en personne?

— Attends, ne bouge pas, maman, ne te dérange pas, je vais le chercher moi-même, dis-je, craignant qu'elle ne change d'avis sur le chemin qui la séparait de sa penderie.

Le bonheur existe, pensai-je en enfilant les manches moelleuses qui m'arrivaient jusqu'au milieu des mains.

J'arrivai comme d'habitude avec vingt minutes d'avance au lycée. Je montai jusqu'à la salle de cours et au moment de m'asseoir je changeai d'avis. Si je m'asseyais, il fallait que j'enlève mon manteau, or il n'était pas question que le plus beau duffle-coat du lycée passe sa journée sur le dos d'une chaise. Il fallait que tout le monde voie que c'était moi qui le portais. Je redescendis et je fis trois fois le tour de la cour en marchant tout doucement jusqu'à la première sonnerie.

— La vache! dit Johana en me voyant arriver, t'as un supermanteau. Où tu l'as eu?

— Il est à ma mère, dis-je assez bas pour que

personne d'autre n'entende. T'es pas très bron-
zée.

— Non, je sais. Il a neigé tout le temps, en
plus on s'est engueulés au bout de deux jours.
Bref, vacances de merde, pour changer.

— Salut, les filles, s'écria Nadine en s'approchant de nous à grandes enjambées de girafe ven-
tripotente. Bonne année!

Johana ne la regarda pas, tourna les talons
comme un robot et alla s'asseoir à sa place sans
dire un mot. C'était plus fort qu'elle, elle ne
pouvait pas supporter la grande prêtresse de la sagesse populaire. Elle ne pouvait même pas rester
à côté d'elle sans lui parler et même sans l'écouter. Il fallait qu'elle fuie dès que notre irrempla-
çable Nadine apparaissait. «Elle me fout les
glandes, disait Johana, c'est comme si l'ami Ricoré s'était accouplé avec Mamie Nova!»

— Salut, Nadine, réussis-je à placer entre les
quatre bises.

— Alors ces vacances, dit-elle d'une voix clai-
ronnante, pas trop dures? ajouta-t-elle quatre
cents décibels plus bas.

Je mis un instant à comprendre ce qu'elle insinuait et le temps que je mis à me rappeler le mensonge énorme que je lui avais fait à propos de mes faux-vrais parents fut aussitôt interprété comme une gêne bien naturelle.

— Je comprends, dit-elle en baissant les yeux pour se donner l'air compatissant. Là j'étais dans ma famille dans le Calvados, mais pendant les vacances de février je reste à Paris, on pourra se voir, si tu veux. Je pourrai t'inviter à passer quelques jours chez moi. Tu verras, mes parents sont supersympas.

J'avais une occasion de m'installer pour quelque temps chez l'ami Ricoré et Mamie Nova, je savais qu'elle ne se représenterait pas de sitôt, mais je ne pus m'empêcher de décliner.

— T'es vraiment gentille, dis-je, mais on va partir au ski en février, et puis tu sais, ils m'aiment comme si c'étaient mes vrais.

Nadine, je t'interdis d'avoir les larmes aux yeux, pensai-je sans oser la regarder en face.

J'avais toujours les yeux rivés sur le lino vert à nervures blanches et grises du couloir, lorsque je vis, à quelques mètres de moi, une paire de chaussures que je reconnaissais comme si je les

avais cousues moi-même. Paulus. Paulus. Paulus.
Ça sonnait dans ma tête comme une cloche. Je
me sentis rougir. Il était hors de question que je
lève les yeux, et qu'il me voie écarlate, même si
ça devait faire un charmant ton-sur-ton avec
mon duffle-coat. Nadine, qui avait dû décider de
devenir ma meilleure amie sans me demander
mon avis, en voyant que je rougissais et que je ne
relevais pas la tête, crut que je pleurais. Elle me
prit la main et ça me donna tellement envie de
rire que je sentis le pourpre redescendre dans les
profondeurs de ma cage thoracique, dans laquelle
il y avait décidément beaucoup de monde en ce
moment. Je levai les yeux et je vis, par-delà le
sourire de clown triste de Nadine, Paulus en train
de discuter avec Martin. Je ne sais pas pourquoi,
je fus un tout petit peu déçue. Là, dans le couloir
du lycée, debout sur le lino, au milieu de tous les
autres garçons et des autres filles, il avait l'air anonyme. Il dut sentir mon regard et tourna lui aussi
ses yeux vers moi. L'impression désagréable de
trahison disparut immédiatement. Il me sourit, je
lui souris. C'est tout. Je dis «c'est tout» parce
qu'il y avait tellement d'intensité dans ce regard

échangé que quelque chose aurait dû se passer, les autres auraient dû s'écarter pour nous laisser nous rejoindre, un éclair aurait dû fendre le ciel, la terre aurait dû trembler. Mais non. Rien de plus ne se passa. Il ne s'approcha même pas pour venir me dire bonjour. Il était avec ses copains, il parlait, il riait, il racontait ses vacances à Megève, qu'est-ce que j'en savais? Je n'entendais rien de là où j'étais. Peut-être leur parlait-il de l'enterrement de sa grand-mère en plaisantant, ou de moi. Peut-être disait-il: «Vous l'avez vue, ma petite fiancée, dans son manteau rouge trop grand pour elle? Je risque pas de la perdre de vue avec cette couleur! Vous avez vu comme elle s'est fait belle pour moi? J'ai la cote, les mecs, j'ai le ticket.»

— Je peux me mettre à côté de toi? me demanda Nadine alors que j'avais oublié qu'elle existait.

Mais qu'est-ce qui lui prenait? Elle voulait me faire un plan SPA style « toi chien perdu, moi gentil nouveau maître»? Je n'étais pas prête pour ça.

— Non, lui dis-je impitoyable.

— Je comprends, dit-elle (comment faisait-elle pour toujours tout comprendre?). Tu as besoin d'être seule.

J'allai m'asseoir à côté de Johana et le cours d'anglais commença. On allait se taper le cent dix millième texte sur le racisme aux Etats-Unis et je n'avais donc rien de mieux à faire que de passer une heure à échanger des messages sur feuille quadrillée, tout en répondant brillamment de temps à autre aux questions de Mme Marcel, histoire de conserver mon standing.

L'heure se passa sans que j'aie tourné une seule fois la tête vers Paulus. Johana m'écrivit plusieurs fois qu'il me regardait, qu'il n'arrêtait pas de me regarder et même qu'il lui faisait des signes pour qu'elle me dise de me retourner, mais je ne la croyais pas et surtout, je sentais que tous les gens de la classe savaient ce qui se passait et attendaient, comme des lecteurs d'*Ici Paris,* de connaître la suite de nos aventures. Je pouvais presque entendre la rumeur des acclamations et des encouragements de nos trente-quatre supporters, comme à un match de foot: «Allez Julia, allez Julia, allez! Allez Julia, allez Julia, allez!» Je regrettais maintenant d'avoir mis le duffle-coat de maman. Si j'étais arrivée dans mon vieux manteau de d'habitude, peut-être que personne ne m'aurait remarquée. J'aurais pu tourner la tête, j'aurais peut-être même pu aller dire bonjour à Paulus avant le cours, l'embrasser, lui serrer la main... Mais là, c'était impossible, j'avais vu tous les yeux, comme des miradors, se braquer sur moi et j'avais surpris tous les cerveaux en train de penser: «Julia a fait des frais. Il va y avoir du nouveau.» Je comprenais soudain le mal de vivre des stars.

A la fin du cours je rangeai mes affaires à toute vitesse pour être sûre de sortir dans les premiers et de ne pas croiser Paulus. Ensuite on avait deux heures de maths, c'était parfait; j'allais me barricader au premier rang, me passionner pour le corrigé de l'interro d'avant les vacances et dès que la cloche sonnerait, je me précipiterais vers la sortie pour rentrer chez moi.

— Allô, Julia?
— Oui.
— C'est Johana. Pourquoi tu m'as pas attendue? Tu veux plus manger à la cantine?

— J'avais pas faim.

— T'as bien fait, remarque, parce qu'il y avait du hachis parmentier superdégueu, style «le chien n'en voulait pas alors on a pensé que ça vous ferait plaisir»… Et tu sais quoi?

— Non. Mais je t'en supplie, Johana, ne va pas t'allumer une clope avant de me le dire.

— Non, non, c'est bon, j'en ai déjà une. C'est la cata! Combien t'as eu à l'interro de math?

— 20, normal. Pourquoi?

— Ça alors, c'est dingue quand même! J'ai eu 4.

— Mais comment t'as fait? T'avais pas tout copié?

— Si, si.

— Lavis a vu que t'avais copié et t'a enlevé des points?

— Non, non. Elle a juste marqué «en progrès – persévérez» en haut de ma copie.

— Sympa. Mais qu'est-ce que tu veux que j'y fasse? C'est pas de ma faute, j'avais mis ma feuille bien penchée.

— Oh, c'est pas si grave. De toute façon, j'ai jamais pensé que c'est grâce aux études que je réussirais dans la vie. En fait je t'appelais parce que je croyais que toi aussi t'avais eu 4 et je me disais que tu devais pas avoir le moral, vu que toi…

— Vu que moi c'est le seul moyen que j'ai de réussir dans la vie, vu la tronche que je me paye, c'est ça?

— Arrête de me prendre la tête, OK? Comme tu l'as dit un jour, le monde est bien fait, moi je suis con et toi t'es moche, y a vraiment pas de quoi se plaindre. Bon. Stop. On arrête les conneries et on parle de la fête.

— On s'y prend trop tard. On a encore prévenu personne. On va être deux pelés et trois tondus.

— Si c'est nous les deux pelées et que sur les trois tondus il y a Paulus Stern, c'est pas un problème. Mais t'inquiète, parce que j'ai prévenu tout le monde à la cantine. J'ai même invité ta grande copine, Miss Ricoré-Nova. Toute la classe va venir. J'ai dit aux gens d'apporter à manger et à boire, comme ça on n'aura rien à préparer.

— Et la musique?

— C'est mon frère qui va faire le disc-jockey. Tu vas voir, ça va être génial.

— Pas trop de slows quand même.

— Qu'est-ce que tu veux pour danser, toi? Des valses, des javas?

— Je sais pas. Je m'en fous. Je sais pas danser.

— Je t'ai déjà expliqué cent fois. Ce n'est pas la peine de savoir. C'est qu'un prétexte, la danse.

— Justement, c'est ça que je trouve dégoûtant. Accepter de danser avec quelqu'un, c'est comme lui montrer ses fesses.

— T'es pas bien, ma pauvre. Tu vas pas encore passer l'après-midi accroupie dans un coin à te faire une overdose de Coca?

— Si, parfaitement.

— Si ça te chante, moi je m'en fiche.

— T'as prévenu ta mère?

— C'est pas la peine, elle part en week-end de ressourçage demain soir.

— En week-end de quoi?

— De ressourçage. Elle va avec plein d'autres tarés comme elle dans un château à la campagne pour revivre sa naissance. A mon avis, ça va donner.

— Je savais pas que ça existait. J'aimerais bien faire ça, moi.

— J'te comprends pas, Julia.

— Arrête, tu me rappelles ma mère.

— Bon, ben salut alors, à demain... Attends, t'as fait ta rédac?

— Non, j'ai pas commencé.

— Qu'est-ce que tu vas dire? Moi j'ai aucune idée. Il est nul ce sujet. «La nuit», non mais j'te jure; c'est pas un sujet de rédac ça! Moi, la nuit, je dors. Même avec une marge superlarge, je vais pas réussir à tenir plus de deux lignes.

— Moi, j'aime bien ce sujet. On peut dire ce qu'on veut sur un sujet comme ça. T'as qu'à parler de... Je sais pas moi... t'as déjà passé une nuit blanche?

— Ouais, des dizaines, même.

— Eh ben t'as qu'à raconter une nuit blanche.

— J'peux pas faire ça, tu rigoles. T'as vu quel âge elle a, Mme Gobelin? Et en plus elle est en deuil. Non, je peux pas lui faire ça. J'crois que je vais pas la rendre. J'vais dire que j'ai été malade pendant les vacances.

— Comme tu veux. A demain.

Je sortis une feuille double et je commençai à

écrire. Quand ma mère vint me chercher pour dîner, j'en étais à ma cinquième copie double. Le repas se passa assez bien. Judith nous chanta une chanson qu'elle avait apprise à l'école et papa nous dit qu'il avait peut-être une chance à Air France. Mon père hôtesse de l'air! C'était la meilleure de l'année. A neuf heures et demie je me remis au travail et à minuit je commençais à relire ce que j'avais écrit. «La nuit», quel sujet génial! Merci Mme Gobelin. On pouvait vraiment dire n'importe quoi avec un sujet pareil. Tout ce que j'avais sur le cœur depuis un mois gisait maintenant bien rangé sur les lignes, longues phrases que Mme Gobelin allait lire sans se rendre compte que c'était ma vie que je lui racontais. Il faut dire que ça ne se voyait pas trop. Je parlais par métaphores, comme on dit.

Maintenant il ne me restait plus qu'à ne pas me faire écraser par une voiture en allant au lycée demain matin, puis en revenant demain soir et en allant chez Johana samedi, pour enfin rencontrer mon destin en face en buvant du Coca dans le noir et en me disant que si au moins je fumais, je pourrais faire quelque chose de mes mains. Je calculai. Il ne restait plus que quarante-deux heures jusqu'à la fête. C'était beaucoup. Attendre quelque chose quarante-deux heures, c'était long. Imaginez-vous dans un aéroport, assis sur un fauteuil en skaï avec votre valise coincée entre les genoux pour pas qu'on vous la vole et tout à coup – ti-da-dam – la voix de l'hôtesse de l'air, ou celle de mon père, puisqu'aux dernières nouvelles il allait travailler à Air France, vous annonce que votre avion a un petit problème mécanique, une aile cassée, ou une fuite d'eau, je ne sais pas moi, et que par conséquent il aura quarante-deux heures de retard. Ça fait très long. Mais en même temps, c'était incroyablement court. Parce que même si j'avais eu cent ans devant moi pour me préparer à rencontrer mon destin en face, ça m'aurait paru toujours insuffisant. Quarante-deux heures c'était quoi en fait? Pas mal de sommeil, c'est-à-dire deux nuits, et puis un cours de gym où j'apprendrais peut-être à faire l'équilibre, une heure de math que je n'allais pas voir passer parce que j'adorais ça, deux heures de français pendant lesquelles je rendrais le récit métaphorique de ma vie intérieure, deux heures de cantine, une heure de géo, une heure d'histoire, une heure de latin et une heure de grec et puis hop, retour à la maison épuisée, pas le temps de me reposer que déjà dîner, pas dormir, je l'ai déjà compté, grasse matinée, choisir comment s'habiller et hop hop hop.

— Julia, tu veux que papa t'amène en voiture?

— Non, c'est pas la peine, maman. Je vais prendre le bus.

— La mère de Johana sera là?

— Oui, oui, j't'ai déjà dit.

— Et tu es sûre que tu ne peux pas emmener Judith?

— Mais enfin, maman, c'est une fête! T'es déjà allée à une fête, non? C'est pas pour les enfants.

Ça me faisait mal au cœur d'abandonner ma petite sœur un samedi après-midi, mais c'était déjà assez dur comme ça pour moi. Je ne pouvais pas me permettre de me faire mon overdose de Coca avec Judith sous un bras et Tu pues sous l'autre, parce que là j'aurais carrément fait cas social.

— Tu as raison, ma chérie, dit ma mère qui décidément ne cessait pas de me surprendre. Judith s'ennuierait. Je vais l'emmener au cinéma.

A cet instant, j'aurais donné n'importe quoi pour avoir six ans et demi et aller voir *Le Livre de la jungle,* ou même *Blanche-Neige* avec ma mère. Parce qu'à cet instant, j'avais quatorze ans et j'allais, comme on va au marché aux bestiaux, me faire embrasser par un garçon. Ce n'était pas la peine de se raconter des histoires, les fêtes, les boums (comme s'obstinaient à dire mes parents), ce n'était pas autre chose. C'était pour être debout dans le noir en face d'un garçon et se laisser faire. Quelle horreur! Et pourtant, il fallait bien y passer.

— Maman, comment je suis?

Ça me coûtait beaucoup de lui poser cette question, d'abord parce que j'avais très peur de sa réponse et aussi parce que ça voulait dire que soudain j'avais envie d'être belle, ce qui ne faisait qu'un dans sa tête avec être amoureuse.

— C'est pas pour me vanter, dit-elle, mais je ne t'ai pas ratée. Je t'ai toujours dit que si tu faisais un effort, tu pouvais être très jolie. Qu'est-ce que tu en penses, Judith?

– J'en pense, dit-elle très lentement, avec une lueur dans l'œil qui me fit craindre le pire, que le fils de Mitterrand aimera beaucoup ce pull avec des poils.

Ma mère leva les yeux au ciel en souriant, l'air de dire «comme c'est joli les mots d'enfant!»

– Je me demande où tu vas chercher tout ça, lui dit ma mère en lui caressant la tête. Et on ne dit pas un pull avec des poils, on dit un pull en mohair.

C'était elle qui me l'avait prêté. Ma mère, m'avait prêté son pull en mohair. Je veux dire, qu'elle me prête son duffle-coat rouge qu'elle avait depuis deux ans, ça passait encore, mais qu'elle me file son pull en mohair qu'elle venait de s'acheter, son pull en mohair qu'elle n'avait jamais mis, c'était carrément louche. Elle devait avoir décidé de se débarrasser de moi. Soudain je comprenais tout. Elle avait comploté ça avec mon père. Elle avait dû lui dire: «Tu sais, mon chéri, on serait plus à l'aise avec l'allocation chômage si on n'avait que trois bouches à nourrir. Judith est encore petite, mais il serait temps de penser à marier Julia.» Et mon père avait dit oui parce que de toute façon, depuis qu'il avait arrêté non seulement le beurre sur le pain, mais aussi le pain tout court, pour se faire une ligne d'hôtesse de l'air, il n'avait plus la force de dire non à rien.

Je me regardai une dernière fois dans la glace. Le pull gris perle sous le manteau rouge faisait vraiment génial. Le pantalon en velours côtelé n'était pas terrible, mais bon, c'était ça ou la jupe écossaise, les bottines étaient telles qu'en elles-mêmes et la coiffure que m'avait faite ma mère était parfaite, presque comme si j'avais eu les cheveux raides.

– Bon j'y vais. Je rentrerai pas trop tard.

Quand j'arrivai chez Johana, les rideaux étaient tirés et les lumières éteintes. Il n'y avait encore personne et le salon ressemblait un peu à un cirque vide avant le spectacle. Il y avait tout le matériel : les disques, les chips, les verres en plastique, les coussins par terre et les meubles rangés le long des murs pour laisser la place à la « piste de danse ». J'entendais presque les roulements de tambour qui précèdent le saut de la mort : ET MAINTENANT, MESDAMES ET MESSIEURS, JULIA FUCHS, CHAMPIONNE DU CONTORSIONNISME

CÉRÉBRAL TOUTES CATÉGORIES, VA TENTER L'INTENTABLE. JE VOUS DEMANDE LE SILENCE LE PLUS TOTAL. LA CONCENTRATION EST ESSENTIELLE POUR CE NUMÉRO. La concentration n'était malheureusement pas la seule chose dont j'allais avoir besoin. Rien que de regarder la platine, les baffles montés sur des tabourets pour faire plus de bruit et les rangées de spots multicolores accrochés aux murs, j'avais mal au cœur. Je sentais mon estomac se soulever et ma nuque se refroidir. C'était là, dans cette boîte de nuit reconstituée par les talents de décoratrice de Johana, devant tous les gens de ma classe et sur de la musique funk, que mon sort allait se jouer.

– Qu'est-ce qu'il y a, Julia ? me demanda Johana. Tu n'enlèves pas ton manteau ?

– Si, si, dis-je d'une voix étranglée en laissant glisser les manches du duffle-coat qui me servait d'armure.

– Ben dis donc, la maison ne recule devant aucun sacrifice ! dit Johana en regardant mon pull.

– Comment tu trouves ?

– Ça fait un peu dame, mais…

— Oh, merde! dis-je en me retenant très fort de pleurer, parce que c'était vraiment débile de pleurer pour ça. Merde! Merde et merde! Je le savais. J'ai l'air ridicule. (Je m'avançai jusqu'au miroir posé sur la cheminée.) On dirait une présentatrice des actualités régionales! (Je me mis de profil sans cesser de me regarder.) Et t'as vu ça, Johana?

— Quoi ça?

— Mais ça, là, dis-je en pointant du bout du menton, vers des espèces de petits bouts de seins qui sortaient effrontément, et pointaient sous les longs poils gris de mon pull, comme si j'avais eu deux petites souris posées sur la poitrine.

— Mais quoi, ça? Il est pas moulant ni rien, ton pull. Il fait un peu vieux, c'est tout.

— Mais Johana, je n'ai jamais eu de seins! Qu'est-ce qui se passe?

— C'est pas un drame. Moi j'en ai pratiquement toujours eu, et je m'en porte pas plus mal. D'ailleurs je croyais que t'étais jalouse. Tu m'as pas dit un jour que t'avais honte d'être plate comme un... Comme un quoi déjà? Un cake mou?

— Comme un gâteau raté, banane. C'est parce qu'à l'époque, je croyais que ne pas avoir de seins était la pire chose au monde. Maintenant je sais ce qu'il y a de pire. Ce qu'il y a de pire, c'est d'en avoir.

— Arrête un peu s'il te plaît. Je te signale qu'il est trois heures dix et qu'on n'a toujours pas mis au point ta stratégie.

— Comment ça, ma stratégie?

— Ben, suppose que Paulus t'invite à danser, qu'est-ce que tu lui dis?

— Tu crois qu'il va m'inviter?

— J'espère bien qu'il va t'inviter. C'est normal. C'est ton mec ou pas?

— Mon mec, mon mec. Qu'est-ce que ça veut dire, mon mec? Il est pas à moi. Et puis il s'est jamais rien passé, je te rappelle.

— Justement, c'est aujourd'hui ou jamais. Alors t'as pas intérêt à foirer. Bon, je reprends. Qu'est-ce que tu fais si il t'invite?

— A un slow?

— Oui, à un slow ou à autre chose, peu importe.

— Je lui dis que je ne sais pas danser.

— Mais ça fait nul!

— Je m'en fiche. S'il ne m'accepte pas telle que je suis, c'est tant pis.

— Mais attends une seconde. Tu l'aimes ou pas?

— Mais j'en sais rien moi! Qu'est-ce que ça veut dire?

— Ça veut dire, est-ce que tu penses à lui le soir avant de t'endormir?

— Oui.

— Bon, alors tu l'aimes. Quand on aime un mec, on veut lui plaire, alors on fait pas des trucs ridicules comme dire qu'on sait pas danser.

— Moi si, je préfère être ridicule que de lui marcher sur les pieds.

— Fais comme tu veux. J'te comprends vraiment pas.

— Je sais, Johana. Personne ne me comprend.

A trois heures et demie, presque tout le monde était arrivé. Il y avait vingt bouteilles de Coca, dix paquets de chips trois paquets de Granola, un Savane, deux paquets de Pepito, un paquet de Choco-BN (je me demande bien qui était le ringard qui avait apporté ça), six sachets de caca-huètes et une bouteille de champagne. De quoi tenir le siège pendant tout un après-midi. J'allais pouvoir me carapater dans un coin avec une bouteille de Coca et quelques Pepito sans qu'on vienne m'embêter. Mais, pour l'instant, tout al-lait bien. Personne ne dansait, on avait rallumé la lumière et Nadine était en train de faire une quê-te pour aller acheter une galette des Rois. On au-rait dit une fête d'anniversaire de classe de CP. L'ambiance n'était pas louche, je n'avais rien à craindre.

Paulus était là. Il était venu me dire bonjour, mais comme à n'importe qui. Il n'avait pas fait de remarque désobligeante sur mes seins. Il ne les avait même pas regardés. Et puis il était retourné parler avec Martin, pendant que moi je restais avec Johana pour rediscuter de stratégie.

— S'il m'invite à danser, je dis oui.

— Génial, dit Johana. T'as quand même une chance pas possible. Qu'est-ce qu'il est beau ce mec! Et en plus, il est intelligent. Moi je me tape toujours des connards. Tu me diras qu'entre connards, on s'entend mieux, mais quand même, ça me ferait pas de mal de sortir parfois avec des types comme lui.

— Pas touche, baby, dis-je à Johana en essayant d'imiter John Wayne dans je ne sais plus quel western, mais ce n'était pas la peine que j'insiste, parce que Johana ne devait pas l'avoir vu ; elle n'avait pas la télé

Je regardai autour de moi et je me dis que j'avais eu tort d'avoir si peur. C'était pas si terrible que ça. C'était même assez agréable. Les gens de ma classe, qui n'étaient rien de plus que les gens de ma classe, c'est-à-dire pas grand-chose, me paraissaient — je ne sais par quel miracle — vraiment extra. Bien sûr, Coralie Toquet (la pute) avait mis une minijupe tellement mini qu'elle ne pouvait ni se pencher, ni s'asseoir, ni même marcher normalement. Bien sûr, Sylvie Gaidon était maquillée style Marilyn, avec ses grands yeux bleus comme on n'en fait pas, elle ne parlait à personne et prenait des pauses affectées, un coude appuyé sur la cheminée, l'air de dire : «Vous avez vu *Le Port de l'angoisse*, avec Humphrey Bogart ? Eh bien la fille, c'était pas Lauren Bacall, c'était moi. Si, si.» Bien sûr Nadine avait trouvé indispensable de se coller des paillettes sur les joues pour bien faire comprendre à tout le monde que c'était la fête. Bien sûr, les filles parlaient avec les filles et les garçons avec les garçons, mais, dans l'ensemble, tout allait plutôt bien.

Quand Bertrand le frère de Johana, arriva, j'eus quand même des sueurs froides. C'était lui le disc-jockey, et ça voulait dire qu'on allait devoir danser. Lorsqu'il posa le premier disque sur la platine, mon cœur s'arrêta momentanément de battre. Et quand je vis les autres, c'est-à-dire ceux qui n'étaient pas moi, ceux qui n'avaient pas de complexes, ou alors qui en avaient mais réussissaient à les oublier, quand je vis les autres se mettre à remuer, comme si de rien n'était, comme si la danse était le propre de l'homme au lieu du rire, j'envisageai calmement de me jeter par la fenêtre.

Bertrand, qui avait dû intercepter mes ondes suicidaires, vola à mon secours.

— Alors Juju? C'est toujours pas ton truc la danse?

— Comment tu sais?

— Je le sais parce que même quand t'avais

huit ans t'aimais déjà pas ça. Je me rappelle, je t'avais invitée... Tu te souviens?

— Non, pas du tout

— Moi j'en avais. Attends, j'en avais dix-huit, et je t'avais invitée à danser et toi t'avais éclaté en larmes. Ça m'avait complètement trau-matisé.

— Comme quoi, les gens ne changent pas! dis-je en haussant les épaules, un peu vexée d'être une légende vivante de la coincerie dans les fêtes.

— A part ça, ça va?

Bertrand avait quelque chose de spécial qui faisait qu'on pouvait tout lui dire. Il n'essayait pas de vous donner des conseils de grand frère ou d'en profiter pour vous raconter sa vie. Il ne vous interrompait pas toutes les cinq minutes pour vous dire «ah ouais? eh ben moi...» Il ne vous quittait pas des yeux, un peu comme s'il avait dé-cidé d'écrire un livre sur vous. En même temps, il ne posait pas de questions, il n'était pas indis-cret ni rien. Il se contentait d'écouter. C'était quand même pas une raison pour que je me met-te à lui parler de Paulus, mais je lui racontai comment ça se passait à la maison, la nouvelle personnalité de maman, papa hôtesse de l'air, Judith et ses gâteaux en cailloux. Ça faisait du bien de parler, même si j'étais obligée de lui crier dans l'oreille pour qu'il m'entende. Martin l'avait remplacé près de la platine et il ne mettait que des rocks hyperforts, des trucs rapides qui faisaient transpirer. Du coin de l'œil, je voyais Johana danser avec Yvan, Coralie avec Sébastien, Nadine toute seule, et puis par-delà la piste, à l'autre bout de la pièce, Paulus, assis par terre avec une bouteille de Coca et trois Pepito. Je ne voyais pas son visage, parce qu'il était caché par les danseurs et aussi parce que je ne regardais pas vraiment. Je n'osais pas. Les basses montées à fond me martelaient la poitrine et j'avais beau me répéter que je n'aimais pas cette musique, que c'était du funk merdique, ça battait en moi et ça me démangeait. Si je détestais tellement cette musique, c'est justement parce qu'elle me donnait envie de danser et que pour moi danser était une indécence grave, quelque chose que je ne pouvais pas faire devant tout le monde, comme me moucher, faire pipi, ou me déshabiller. Quand je voyais les autres le faire, ça ne me choquait pas, mais je savais que moi, moi Julia Fuchs, si je me levais et que je me mettais à gesticuler en laissant, comme on dit, la musique monter en moi, ça donnerait quelque chose comme une transe obscène. Alors je continuais de parler, en regardant alternativement Bertrand et le bout de mes chaussures, pour m'assurer que mes pieds ne se mettaient pas à bouger tout seuls.

Au bout d'une heure, alors que j'avais déjà refait le monde trois fois, Bertrand finit par se lasser et invita Coralie-la-pute à danser. Lui aussi tombait dans le panneau. Quelle misère! Je me penchai un peu pour voir, par-delà l'entremêlement de jambes et de bras hystériquement secoués, ce que fabriquait Paulus. Il n'avait pas bougé, il était toujours assis en tailleur, presque sous la table, avec sa bouteille de Coca à moitié vide et un Pepito posé sur le genou. Il n'avait pas l'air spécialement triste. En fait, il avait exactement la même tête que celle que je devais avoir quand j'allais à une fête et que je passais l'après-midi, tapie dans un coin à boire du Coca tout en essayant de rester sympathique. Ses yeux se po-

saient tour à tour sur les gens, la moquette, le plafond, comme des papillons inoffensifs, et son expression ne disait qu'une seule chose : « Personnellement, je n'aime pas danser, mais ça ne me
dérange pas que nous n'ayons pas les mêmes
goûts. »

Et puis ce qui devait arriver arriva, ses yeux,
fatigués de voler un peu partout sans croiser un
seul vrai regard tombèrent dans les miens.
Qu'est-ce qu'il peut bien y avoir dans les yeux de
si mystérieux, de si extraordinaire qui fait que
quand ils se rencontrent, c'est plus qu'un contact,
c'est comme un aimant qui vous attrape derrière
la tête, comme un grand filet à sentiment qui
écume le fond de votre cœur? On se regardait et
on ne pouvait pas s'arrêter de se regarder, comme
si ce que nos yeux se disaient – un secret qui
nous échappait – était plus important que tout le
reste.

Je ne le vis pas se lever. Ça se passa très vite.
Soudain il était devant moi et il ne me demandait
pas « est-ce que tu veux danser ? » et je ne lui répondais pas « oui » ou alors « non, je ne sais pas, je
n'aime pas ça ». Il me prit la main, me fit me lever

et m'entraîna près de lui, si bien que pendant une seconde nos corps se touchèrent. Pourquoi Martin choisit-il juste ce moment-là pour mettre un slow? J'aime mieux ne pas le savoir; ça ressemblerait trop à un complot. Avant de commencer à danser, j'enlevai mes lunettes et je les mis dans ma poche.

— Pourquoi tu enlèves tes lunettes? dit Paulus dans mon oreille.

Je ne pouvais pas répondre à cette question. D'abord parce que c'était une question terrible, qui menaçait de me ridiculiser si j'y répondais, et surtout parce que le souffle de Paulus sur mon oreille, c'est-à-dire sa bouche près de mon cou, me paralysait totalement.

— Je t'ai toujours connue avec tes lunettes, ajouta-t-il. Je te vois derrière tes lunettes. Je me fous de tes lunettes.

Un instant je me demandai s'il fallait que je les remette, mais je me dis que j'aurais l'air encore plus bête. Et puis je n'arrivais pas à réfléchir à cause de la musique. Comme si ça ne suffisait pas que ce soit un slow, donc un air sur lequel on danse en se tenant dans les bras, serrés, presque collés, il y avait des paroles en anglais, que je comprenais et que Paulus comprenait aussi parce que ce salaud était aussi fort que moi en anglais. Si au moins j'avais été amoureuse de Martin, qui n'avait pas encore compris que *laugh* se prononçait *laf* et non *lôg* , ça n'aurait pas été aussi aussi gênant. *When a man loves a woman, she can do no wrong...* Je savais que Paulus savait que je savais ce que ces paroles bidon voulaient dire. Je savais que dans sa tête aussi les mots *man, love* et *woman* se transformaient, comme reflétés dans une eau trouble et devenaient *homme, aimer, femme,* puis *Paulus, aimer, Julia.* C'était tellement embarrassant et tellement profond que j'avais envie de disparaître. Je m'acharnais, pour ne penser à rien, à compter les temps et à essayer de déplacer mes pieds en mesure. Mais ça n'était pas simple. Paulus ne savait vraiment pas danser, je veux dire, il savait encore moins que moi, alors nos genoux se heurtaient et à chaque fois je sentais ses mains se crisper sur mon dos. J'avais envie de ne plus bouger du tout, de me coller et de me laisser serrer jusqu'à devenir lui. C'était fort, c'était si fort que quand j'eus le courage de lever la tête pour le regarder et que je vis, dans ses yeux affolés et rougis et sur sa bouche fermée et tremblante, qu'il était aussi troublé que moi, je ne pus le supporter. Je me raidis tout à coup et je me précipitai vers la porte.

Dehors il pleuvait et les gouttes s'écrasaient sur mon visage comme des billes. C'était une pluie dure, une pluie que le ciel vous jetait sur la tête, et mon pull était complètement transpercé d'eau. Je n'avais pas pris la peine de mettre mon manteau avant de sortir. Je courais, vite, et je pensais que les bottes à semelles de plouc étaient effectivement très bien pour courir. J'avais beau ne pas avoir une tête à ça, je filais comme un bolide. J'avais envie de crier, mais je sentais que ce serait ridicule de crier, comme ça, dans la rue, surtout de joie. On ne faisait ça que dans les films américains, et encore, pas dans tous; seulement dans les comédies musicales et, pour être plus précise, spécialement dans *Chantons sous la pluie* Il n'y avait pas de caméra dans les parages, ça n'était donc pas la peine que je me fende d'un cri d'Apache rien que pour les habitants de l'avenue d'Italie. Ce que je pouvais faire, par contre, c'était pleurer; d'autant plus qu'avec la pluie, ça ne se voyait pas. J'ouvris d'un coup les vannes et les larmes retenues pendant trois semaines vinrent toutes en même temps exploser au coin de mes yeux. Je me mis à sangloter et à hoqueter tout en continuant de courir. Je baissais la tête et je voyais les pavés défiler sous moi comme si j'étais en train de voler. Il y eut un énorme coup de tonnerre juste au moment où j'atteignais la porte de mon immeuble et j'eus à peine le temps de me boucher les oreilles. J'avais une peur atroce de l'orage.

Dans le noir du hall d'entrée, je plaquai mon dos trempé contre le mur et je me laissai glisser le long du carrelage jaune pour me retrouver assise sur le paillasson. Les larmes s'étaient taries, mais les hoquets semblaient ne jamais vouloir finir. Je me demandai ce que j'allais bien pouvoir faire maintenant. Que dirait ma mère en me voyant mouillée des pieds à la tête? Que dirait-elle surtout en voyant son pull en mohair sinistre et penaud, avec ses poils tout applatis par la pluie? Qu'est-ce que j'allais pouvoir inventer?

Je n'eus pas le temps de répondre à ces questions, parce que je les avais à peine formulées que la porte s'ouvrit sur maman et Judith qui ne faisaient plus qu'une, serrées qu'elles étaient sous le même manteau dégoulinant de pluie. Elles ne me virent pas tout d'abord. J'entendis la main de ma mère tâtonner dans l'obscurité pour trouver l'interrupteur.

— Julia ! s'écria-t-elle en me voyant assise à ses pieds.

Elle n'était pas en colère, elle était seulement très surprise. Judith et elle étaient au moins aussi trempées que moi.

— On dirait que toi aussi tu as oublié de prendre un parapluie, dit-elle en me donnant la main pour m'aider à me relever.

Elle ne me posa aucune question. Elle nous conduisit ma sœur et moi dans la salle de bain, nous dit de nous déshabiller et alla chercher de grandes serviettes bien rèches comme je les aime. Elle se déshabilla aussi et on se frotta les unes les autres, en se faisant croire qu'on était une famille d'Esquimaux.

— J'ai oublié ton manteau chez Johana.

— J'ai vu. C'est pas grave. Du moment que tu sais où il est.

– Tu crois que ton pull va s'en sortir?

– S'il ne s'en sort pas, c'est que c'était un mauvais pull. Ce sera bien fait pour lui.

Judith éclata de rire.

– Je suis désolée, maman.

– C'est rien, ma chérie. Moi aussi j'ai eu ton âge.

Maman me serra dans ses bras. J'étais un peu gênée, parce qu'on n'avait pas l'habitude de s'embrasser ou de se faire des câlins. Et puis je n'avais pas tellement aimé la dernière partie de sa phrase. Imaginer que ma mère avait eu mon âge, qu'elle aussi elle avait dansé avec des garçons et tout ça, ne me mettait pas très à l'aise. Une mère a beau changer, ça reste toujours une mère.

– Allô, Julia?

– Oui.

– C'est Johana.

– Salut, ça va?

– Ben, oui… Et toi? Qu'est-ce qui t'a pris?

– Rien, rien du tout.

– Mais pourquoi t'es partie comme ça, sans

dire au revoir à personne. Qu'est-ce qu'il t'a fait Paulus ?

— Rien, absolument rien. Il était tard, il fallait que je rentre, c'est tout. Mais, excuse-moi, je peux pas te parler longtemps, parce que mes raviolis vont refroidir.

— Salope, tu manges encore des raviolis ? J'te crois pas !

— Si ma vieille, encore des raviolis, avec du gruyère râpé fondu dessus et tout et tout.

— Bon, ben j'te laisse alors. A lundi.

— Oui, à lundi.

Lundi matin, à sept heures cinq, j'étais déjà au garde-à-vous devant mon miroir, toute habillée, coiffée, prête à partir. Je n'avais pratiquement pas dormi de la nuit. J'avais passé tout le week-end à revivre dans ma tête ma grande aventure de samedi après-midi. Je m'étais passé le film des dizaines de fois, l'arrêtant à différents instants, lui faisant prendre mentalement un cours différent. C'était comme un rêve dont j'aurais pu tenir les brides. Une fois c'était moi qui invitais Paulus à danser, une autre fois, il me serrait dans ses bras et nous partions à la campagne dans une décapotable rouge, une autre fois encore il me disait qu'il n'avait jamais aimé personne comme moi, même pas sa mère ni rien, et puis de temps en temps, je me passais la version réaliste, je revoyais les événements tels qu'ils s'étaient déroulés, et rien que ça suffisait à m'empêcher de dormir et à me donner des frissons partout.

Ce que miroir, mon beau miroir, avait à me dire ce matin-là ne m'intéressait pas tellement. Je m'étais fait une raison, comme on dit. J'avais compris que tant que j'étais moi, j'aurais grosso modo la même tête, et que, comme j'avais peu de chances de devenir quelqu'un d'autre, il valait mieux que je m'y habitue. Je n'avais pas fait d'efforts vestimentaires particuliers. J'avais juste été demi-fière, demi-morte de honte de constater que le soutien-gorge 80-A était presque trop petit.

Il ne me restait plus qu'à attendre une heure dix pour revoir Paulus, et, en attendant, je relus plusieurs fois «Les Colchiques». Maintenant ça m'était bien égal que ce ne soit pas lui qui ait écrit ce poème. «Et ma vie pour tes yeux lentement s'empoisonne», c'était vrai, c'était bien ça, ma vie aussi s'empoisonnait pour ses yeux. Je n'allais pas en mourir, ce n'était pas cela que voulait dire le poison. Le poison, la mort, ça signifiait seulement que l'amour était aussi inconcevable que par exemple Tata Gilda en train de ne rien faire toute seule sous la terre. L'amour était aussi fort que ça, et penser à la mort faisait du bien, parce que ça aidait à comprendre. Ça aidait aussi à respirer malgré le poids dans le thorax et ça lavait à grande eau l'intérieur de ma tête.

Quand j'arrivai au lycée, hypnotisée d'impatience, je sentis pourtant que les choses n'étaient pas telles que je les avais imaginées. Il n'y avait que très peu d'élèves parce qu'il n'était que huit heures et les femmes de ménage terminaient de passer la serpillière dans les halls. J'avais trop rêvé pendant ce jour et ces deux nuits, j'avais oublié le lycée, les cours, les profs, les conseils de classe. Le fait de revoir les salles, les tableaux noirs et les graffitis sur les murs fit retomber la grande tempête qui s'était levée en moi. Nous n'étions pas Roméo et Juliette, Paulus n'était pas Apollinaire et je n'étais ni une vache, ni un colchique, ni la fiancée du poète. On n'était rien du tout que des élèves du lycée Edouard Manet, troisième 5, Anglais, Espagnol, Latin, Grec. Il y avait des milliers de choses à faire, des devoirs de math, des versions et des thèmes, des exposés de géo, on n'avait pas le temps, et même l'envie disparaissait sous le poids de la réalité, c'est-à-dire ce à quoi on ne rêve pas pendant le week-end, mais qui continue à exister, quoi qu'on fasse, sans vous demander votre avis.

Paulus arriva un peu plus tard, noyé dans le flot de tas d'autres élèves qui avaient tous les mêmes sacs à dos. Je le vis me chercher des yeux et quand il me fixa enfin, je sus que lui aussi avait senti la grande vague s'échouer bêtement au contact du lino vert veiné de blanc qui tapissait les couloirs du lycée. Il me fit un sourire cassé par la timidité et alla s'asseoir à côté de Martin. C'est difficile à expliquer, mais rien n'existait plus. Nous-mêmes nous étions à peine là. Ce qui existait plus fort que nous, c'était la voix de Mlle Hubas, la prof de géo, qui nous rappelait que le contrôle prévu pour la fin janvier était remis à lundi prochain parce que tous les conseils de classe avaient été avancés. On était bel et bien remontés dans le train-train des cours, sauf qu'il s'était transformé en TGV sans nous prévenir. J'aurais dû m'en douter pourtant. Le mois de janvier est toujours le pire de l'année. On ne fait que bosser. Comme si ça ne suffisait pas qu'il fasse froid dehors, que le ciel soit gris souris et que l'espoir du printemps soit encore à mille milles de nous. Même à la cantine on n'avait pas le temps de se parler. Il y avait une espèce de fièvre de cours échangés, à rattraper, à recopier, à apprendre. On terminait nos desserts en salle de perm, en même temps que les versions latines. Même Johana, qui ne bossait jamais, vu qu'elle avait décidé que ce n'était pas grâce aux études qu'elle réussirait dans la vie, était obligée de travailler, ou de faire semblant, pour ne pas se sentir exclue et aussi parce que nous étions un troupeau, que ça nous plaise ou non.

A la maison c'était pareil. Ma mère était tout le temps pressée. Elle avait pris un travail à mi-temps chez une copine attachée de presse et elle se la jouait très pro. Elle avait des rendez-vous, des briefings, des dossiers, elle s'y croyait complètement. Mon père faisait de l'intérim chez Air France et essayait de se faire passer pour un battant. Quant à Judith, elle était identique à elle-même. Les seules joies que j'eus pendant ce foutu mois de janvier, furent d'ailleurs les rares moments que l'on passa ensemble à jouer avec Tu pues à un jeu génial que Judith avait inventé et qui s'appelait «l'Organisation». Ce serait trop long de vous expliquer comment ça marchait. Il suffit de savoir que c'était un si bon jeu qu'il réussissait à me faire tout oublier.

Le seul avantage de ce maudit mois de janvier, c'est qu'il passa très vite. Soudain on était le 27 et je n'avais pas eu une seconde pour m'arrêter et réfléchir. Je m'étais pourtant ennuyée des dizaines d'heures, mais l'ennui du mois de janvier est un ennui spécial, extra-stérile, dont on ne peut pas profiter pour rêvasser ou pour tomber amoureuse. Les heures que j'avais passées accoudée à ma table à lire et relire les mots gravés dans le bois par les deux mille élèves qui entraient et sortaient du lycée chaque jour ne m'avaient rien apporté. J'étais devenue une étrangère, nous étions tous devenus des étrangers, comme figés par la baguette magique d'une fée Carabosse dans nos petites peaux d'élèves de quatorze-quinze-ans. J'avais eu de bonnes notes, j'avais appris à faire l'équilibre, j'avais découvert que Montaigne n'était pas qu'un lycée parisien, mais ma vie s'était arrêtée. Je veux dire ma vraie vie, la seule qui aurait dû compter, celle qui se passait à l'intérieur de moi. Je n'étais plus qu'une machine à écrire et à calculer et je n'étais pas la seule dans cette situation. Le lycée entier était comme le château de la Belle au bois dormant, pris dans les toiles d'araignées de cent ans de sommeil.

En entrant en cours de français, je me souvins que Gobelin allait nous rendre la rédac qu'on avait remise le 5, celle sur la nuit. Je me rappelai la soirée que j'avais passée à l'écrire. A cette époque j'étais un personnage de roman, il m'arrivait des choses, la rencontre à Galaxie, la fête chez Johana. Maintenant c'était comme si rien de tout ça ne s'était passé; je ne me l'expliquai pas, c'était tout simplement impossible. Ce qui m'avait paru si proche quand nous avions dansé ensemble Paulus et moi me semblait à présent aussi lointain qu'un rêve d'enfance. Non seulement ça n'avait pas existé, mais, en plus, c'était il y avait très, très longtemps.

— Les notes s'échelonnent de 3 à 19 (brouhaha dans la classe), la moyenne est de 7,75. Ce n'est pas brillant.

Mme Gobelin nous gratifiait toujours de ce genre de statistiques avant de nous rendre nos copies. Ça faisait monter la tension et je la soupçonnais d'aimer le suspense. Elle ne souriait jamais dans ses robes noires un peu serrées qui avaient survécu à ses dix ans de deuil. Elle était plus triste à elle toute seule qu'un cimetière sous la pluie, mais je la soupçonnais quand même d'aimer le suspense. J'étais même persuadée qu'elle n'avait plus que ça dans la vie.

— Fuchs!

Je rougis à l'appel de mon nom, parce que je savais que le 19 c'était moi. Ça ne pouvait être personne d'autre. Gobelin notait très sec et avoir 19 avec elle était un événement digne de vous faire figurer en première page du journal du lycée.

— Ne rougissez pas, mon enfant.

Salope, lui dis-je en silence, c'était quand même pas la peine de le faire remarquer à tout le monde.

— Vous avez écrit une rédaction… comment dire? Extra-ordinaire. Je ne vous ai pas mis 20 parce que je suis une vieille vache. Mais ça les méritait. Lire un texte pareil, ça vous… (sa voix s'enroua) ça vous redonne confiance dans la vie (elle baissa les yeux, puis toussa).

La classe était médusée, toutes mâchoires pendantes, toutes lèvres silencieuses et moi je rougissais de plus en plus.

— Si ça ne vous ennuie pas, je désirerais la lire à vos camarades.

Les yeux se tournèrent vers moi, même ceux du dernier rang; je les sentis venir percuter ma nuque. Si je disais non c'était le comble de la prétention, c'était un coup à devenir l'ennemi public numéro 1, style non seulement c'est une bête en classe, mais en plus, elle est modeste. Et puis je mourais d'envie que Mme Gobelin lise ma rédaction tout fort. Ils allaient voir ce qu'ils allaient voir tous ceux qui me prenaient pour un cerveau sans âme, ceux qui m'avaient détestée dès la première seconde parce que, quand Mme Marcel avait demandé au premier cours: «Qui aime l'anglais?» j'avais été la seule à lever le doigt. J'avais envie qu'ils sachent qu'on pouvait être fayote et avoir des tripes comme n'importe qui d'autre. Je fis un signe de tête accompagné d'un sourire tordu par la gêne et la jubilation mêlées que Mme Gobelin interpréta comme un oui.

Elle lut. Mes sept copies doubles. Ma vie. En code, bien sûr, ou en métaphore, si vous voulez, mais ma vie quand même. Personne ne s'y trompa. La voix grave et précise de Mme Gobelin me déshabilla devant tout le monde. J'étais retournée comme un gant par son ton monocorde et objectif, son ton qui voulait dire: c'est la vie de cette jeune fille, pas la mienne, c'est elle qui s'exhibe, pas moi. Plus elle avançait, plus je me sentais mal. Je ne me souvenais plus vraiment de ce que j'avais écrit ce soir-là. Je n'avais même pas relu. Entendre les mots que j'avais alignés il y a un mois, à l'époque où l'amour et le bonheur exis- taient encore, me rendait terriblement triste, c'était comme si on avait projeté *Bambi* à des enfants d'après l'Apocalypse, ça parlait de choses qu'on ne connaîtrait plus jamais.

Quand Mme Gobelin referma la dernière copie et descendit de l'estrade pour me rendre mon devoir, je n'eus pas la force de lever la tête. J'avais honte, j'étais fière et surtout j'étais malheureuse, malheureuse à m'effriter sur place, à disparaître, à ne plus entendre que les battements serrés de mon cœur remonter le long de mes tempes et couvrir les applaudissements de mes condisciples. C'était un succès, comme on dit.

— Tu devrais devenir écrivain.

— C'est génial.

— Comment t'as fait?

La rumeur enflait. Tout le monde parlait en même temps et, dans le chœur des compliments, je reconnaissais les voix de gens qui ne connaissaient même pas mon prénom, de gens qui ne m'avaient pas adressé la parole depuis septembre, la voix de Sylvie Guidon, trop aiguë pour son physique de sex-symbol, et qui me fit comprendre tout à coup pourquoi elle parlait si peu. J'étais une star, la vedette de la classe. Soudain tout le monde m'aimait. Je m'en fichais pas mal.

Ce que je voulais, moi, c'est que ça redevienne comme avant, que revienne le temps magique des petits mots et des «y paraît que y a machin qui a dit à truc que bidule… etc.», je voulais que Paulus me regarde et que je voie dans ses yeux que tout pouvait encore arriver. Je levai la tête, essayant de sourire aux regards que je croisais et me frayant un chemin à travers mes lunettes et par-delà la foule de mes admirateurs, jusqu'à Paulus. Il était assis, un rang derrière moi, il ne me regardait pas. Il se tenait la tête dans les mains. Je serrai les poings pour ne pas pleurer et les mots «chagrin d'amour» vinrent se graver derrière mon front avec une telle violence que mes yeux me brûlèrent.

— Silence! cria Mme Gobelin. Un peu de silence, jeunes gens!… Julia (c'était la première fois qu'elle m'appelait par mon prénom), ce que vous avez écrit est très important. Je ne dis pas que vous deviendrez écrivain plus tard, comme vos petits camarades semblent le penser. Ce qui est remarquable dans votre texte, ce n'est pas la littérature, si vous voyez ce que je veux dire, c'est l'étonnante sincérité et surtout l'exactitude avec lesquelles vous avez réussi à nous parler de la nuit ou... de vous-même, comme vous voudrez.

Vous auriez mieux fait de vous taire, Mme Gobelin, lui dis-je silencieusement. En gros, elle me comparait à Anne Frank. C'est déjà pas mal, me direz-vous, mais moi, ivre de gloire, je me voyais déjà passer à la télé à vingt-deux heures trente ou me faire enterrer à côté de Victor Hugo, dans un coin bien frais du Panthéon. Je passai le reste de l'heure à lui en vouloir et à me retenir de tourner la tête vers la rangée de derrière.

Lorsque la cloche sonna, plusieurs élèves se jetèrent sur moi comme pour me demander des autographes. Ils voulaient juste me dire qu'ils avaient été très touchés, que j'écrivais vraiment superbien ; Nadine, elle, se contenta de me serrer les mains très fort, pour me signifier « moi seule ai vraiment compris le message caché de la petite orpheline ». Johana m'avoua que je la dégoûtais et me demanda si je ne croyais pas qu'elle devrait elle aussi porter des lunettes, histoire d'être moins con.

Je n'avais toujours pas rangé mes affaires

quand Paulus se matérialisa devant moi. Il avait vraiment le don de sortir de nulle part celui-là. J'avalai ma salive, et le bruit que fit ma gorge en déglutissant résonna à en faire trembler les vitres. Ne te fais pas d'illusions, Julia, me dis-je en me dépêchant de construire un blindage mental en béton armé autour de mon cœur. Ce n'était qu'un jeu tout ça. Un pari avec des copains. C'était tout dans ta tête. D'ailleurs il ne s'est rien passé en fait. Des tas de gens dansent avec des tas de gens sur terre et on n'en fait pas un fromage. Il va juste te dire que tu as un style superbe avant de te laisser mourir d'amour sur ta chaise.

— Tu ne veux pas venir avec moi au parc de Choisy?

— Maintenant?

— Oui.

— Mais on a espagnol.

— On sèche.

Il n'y avait rien à répondre à ça. C'était un ordre. Je glissai ma trousse dans mon sac et je me mis à marcher à côté de Paulus sans le regarder. Il faisait de très grandes enjambées et j'avais du mal à tenir le rythme. Ses yeux étaient vissés au bout de ses chaussures d'enterrement et ça n'était pas plus mal, parce que je crois que s'il m'avait regardée à cet instant, je serais morte. Nous sortîmes du lycée sans dire un mot et je pensais : pourquoi ça n'est pas arrivé plus tôt ? Qu'est-ce qui nous a pris de ne plus exister pendant un mois ? Comment se fait-il que tout à coup ce soit tellement simple ?

Paulus poussa la grille du parc, mais il ne la tint pas et elle cogna mon genou. Il faillit se retourner pour voir si je ne m'étais pas fait mal, mais son cou était retenu par une force plus puissante. Je vis qu'il lui était impossible de me regarder, je compris que si l'un de nous faisait un seul faux mouvement, tout pouvait être gâché.

Il s'assit sur un banc et je m'assis à côté de lui. Il n'y avait presque personne dans les allées. Il était dix heures du matin et le ciel était tellement gris qu'il faisait encore nuit. J'avais froid. Je me mis à compter les cailloux blancs qui se détachaient sur le sable beige entre mes pieds. Il posa sa main sur le banc. Je l'aperçus, du coin de l'œil, avec ses nervures, comme une feuille d'arbre et je me mis à trembler.

— Un jour, dit Paulus, d'une voix qui n'était pas la sienne, d'une voix poitrineuse comme celle d'un ventriloque... un jour, c'était le 20 novembre, on rentrait du stade, on vous a croisées, dans la cour. Tu m'as regardé. On avait joué au hand. Je déteste le hand. Et je m'étais pris une balle dans l'arcade sourcilière. Je saignais comme un boxeur. Tu m'as regardé. Tu ne savais pas que je te voyais. Je t'ai surprise en train de me regarder. Peut-être que tu ne t'en souviens même pas. Moi je m'en souviendrai toute ma vie.

C'était vrai, je ne m'en souvenais pas spécialement, mais ça n'avait pas d'importance. Paulus aurait pu dire n'importe quoi. Avec cette voix bizarre, il réussissait à entrer en moi sans passer par mon cerveau. C'était comme une vibration, peut-être quelque chose qui ressemblait au langage des baleines. Je ne tremblais plus. Je fermai les yeux et je fis un truc fou, je lui pris la main. Sa main qu'il avait posée là, à côté de moi, sur le banc, comme une feuille d'arbre avec ses veines, sa main tellement étrangère. Je la serrai très fort et tout se calma en moi. Au bout de quelques secondes, il n'y avait plus personne dans mon corps, tout était parti par le bout de mes doigts et une phrase s'étirait maintenant à la place de ma chair de mes pieds à ma tête, une seule phrase qui prenait tout l'espace et ne pouvait pas se dire: «Pourvu qu'il essaye de m'embrasser.»

FIN